AF560906

machart

K vydání připravili / Zur Herausgabe vorbereitet von
Prepared for edition by / К изданию подготовили

Naděžda Kvítková

Věra Höppnerová / Sergej Tryml

Mark Anfilov / Marie Horvátová

ISBN 978-80-7656-089-5

Johannes Amos Comenius

ORBIS SENSUALIUM PICTUS

Jan Amos Komenský

Výbor v jazyce latinském
českém / německém / anglickém / ruském

Auswahl in lateinischer / tschechischer / deutscher / englischer / russischer Sprache
Selection in Latin / Czech / German / English / Russian languages
Избранное на латинском / чешском / немецком / английском / русском языках

Je to už hodně dávno, co jsem jako malý kluk objevil Orbis pictus v knihovně svých rodičů; byl tam dokonce dvakrát. Nad rytinami ve faksimilovém vydání jsme s bratrem závodili, kdo dřív najde čísla na obrázku, a smáli jsme se starobylým formám slov i pravopisu. Ve vydání s barevnými litografiemi jsme zase obdivovali nádherný starý vlak s kouřící lokomotivou. To nás samozřejmě ani nenapadlo, že to není jen tak obyčejná knížka pro děti.

Teprve později jsem začal obdivovat ten krásně přehledný a uspořádaný „viditelný svět“, který se Komenskému podařilo shrnout do několika skoro idylických obrázků, kde není ani stopa po hrůzách třicetileté války a po jeho vlastním těžkém osudu. Žádné nářky, žádná skepse, která by otravovala dětské duše – všechno je na svém místě a chválí moudrost Stvořitele. Dobří lidé pracují pro sebe i pro druhé a jen nevzdělaní nešťastníci ničí sebe i svět, protože nevědí, co je ctnost a co neřest.

Přes těžkou zkušenost věčného uprchlíka a štvance je Komenský samozřejmý vlastenec, jenže je také Evropan jako málokdo jiný. Věří a ví, že jeho žáci budou jednou potřebovat domluvit se i v jiných jazycích, aby pro ně jejich češství nebylo omezením a aby se mohli plně účastnit té podivuhodné výměny, která dělá Evropu Evropou. Proto mají už malé děti poznávat svět hned ve třech jazycích najednou – je to přece tak snadné a přirozené!

Ale až mnohem později jsem si uvědomil, v čem je Orbis pictus opravdu mimořádný a jedinečný. Tuhle encyklopedii pro malé děti napsal jeden z největších učenců té doby, kterému na dětech tolik záleželo, že všechnu svou učenost dokázal potlačit a skrýt jen proto, aby mu rozuměly. O to se od té doby už žádný velký učenec ani nepokusil, natož aby to dokázal.

Jan Sokol

Es ist schon lange her, seit ich als kleiner Junge Orbis pictus in der Bibliothek meiner Eltern entdeckt habe; er war dort sogar zweimal. Auf den Gravierungen einer Faksimile-Ausgabe habe ich mit meinem Bruder die Zahlen auf dem Bild um die Wette gesucht und wir lachten über die altertümlichen Wortformen und Rechtschreibung. In der Herausgabe mit bunten Lithografien bewunderten wir einen herrlichen alten Zug mit dampfender Lokomotive. Selbstverständlich fiel uns nicht ein, dass das kein gewöhnliches Kinderbuch ist.

Erst später begann ich die schön übersichtliche und geordnete „sichtbare Welt“ zu bewundern, die Comenius gelungen in einige fast idyllische Bilder zusammenfasste, wo von den Schrecken des Dreißigjährigen Krieges und von seinem eigenen schweren Schicksal keine Spur ist. Keine Klagen, keine Skepsis, die die Kinderseele quälen würden – alles ist an seinem Ort und lobt die Weisheit des Schöpfers. Gute Menschen arbeiten für sich und für die anderen und nur die ungebildeten Unglückseligen zerstören sich selbst und die Welt, weil sie nicht wissen, was Tugend und was Laster ist.

Trotz schwerer Erfahrung eines ewigen Flüchtlings ist Comenius ein selbstverständlicher Patriot, jedoch er ist auch Europäer wie kaum ein anderer. Er glaubt und weiß, dass sich seine Schüler einmal auch in anderen Sprachen werden verständigen müssen, damit für sie ihr Tschechentum keine Einschränkung ist und damit sie an dem wunderbaren Austausch teilnehmen können, der Europa zu Europa macht. Deshalb sollen bereits kleine Kinder die Welt gleich in drei Sprachen auf einmal kennenlernen – es ist doch so einfach und natürlich!

Aber erst später wurde mir bewusst, worin Orbis pictus wirklich so außerordentlich und einzigartig ist. Diese Enzyklopädie für kleine Kinder schrieb einer der größten Gelehrten seiner Zeit, dem die Kinder so sehr wichtig waren, dass er seine ganze Gelehrsamkeit zu unterdrücken und zu verbergen vermochte, nur damit sie ihn verstehen. Und das hat seitdem kein großer Gelehrter mehr weder versucht, geschweige denn vermocht.

Jan Sokol

A very long time has passed since I as a young boy found Orbis pictus in my parents' bookcase. It was there even twice. Over the engravings in the facsimile edition me and my brother were competing who would be the first to find the numbers in the picture, and we were laughing over the ancient forms of words and the orthography. In the edition with lithographic prints we again admired the magnificent old train with a smoking locomotive. Of course it did not occur to us that it was not an ordinary book for the children.

It was only later that I started to admire that beatifully arranged and well-ordered "visible world" that Comenius succeeded in summing up into several even idyllic pictures where there is not even a trace of the horrors of the Thirty Years War and his own hard fate. No lamentation, no scepsis that might poison the children's souls - everything is in its place and praises its Creator. Good people work for both themselves and the others, and only the uneducated unfortunates ruin themselves and the world because they do not know what virtue is and what vice.

Despite the hard experience of an eternal refugee and an outlaw Comenius is a true patriot, and also a European as hardly anyone else. He believes and he knows that his disciples will have to make themselves understood in other languages in order that their national feeling may not limit them and that they may be able to take part in the admirable change that makes Europe to remain to be Europe. That is also why little children should get to know the world as one in three languages, which is really so easy and natural!

But much later I realized where Orbis pictus is really extraordinary and unique. This encyclopedia for the little children was written by one of the greatest scholars of that time whom it mattered about children so that all his scholarship he succeeded in suppressing and hiding only because they should understand him. No great scholar has ever tried that since Comenius' time, let alone succeeded in it.

Jan Sokol

Давным-давно, еще когда я был мальчишкой, я в библиотеке моих родителей нашел Orbis pictus, а даже в двух экземплярах. Рассматривая гравюры факсимильного издания, мы с братом соревновались, кто быстрее найдет цифры на рисунке, и смеялись над древними формами слов и правописания. В издании с цветными литографиями нам больше всего понравился прекрасный старинный поезд с дымящим паровозом. Тогда мы, конечно, не понимали, что это не совсем обычная книжка для детей.

Только позднее я начал восхищаться этим удивительно наглядным, обзорным и упорядоченным «видимым миром», который Коменскому удалось представить и собрать воедино на нескольких почти идиллических рисунках, где не найти намека ни на ужасы Тридцатилетней войны, ни на тяжелую судьбу автора. Нет здесь никаких жалоб, никакого скепсиса, которые удручали бы душу ребенка – все стоит на своих местах и восхваляется мудрость Создателя. Добрые люди работают на себя и на других, а лишь необразованные несчастливцы уничтожают себя самих и мир, не зная, что такое добродетель и что такое порок.

Невзирая на тяжелую судьбу постоянного беглеца и преследованного человека, Коменский оставался патриотом, но одновременно также европейцем, как никто другой. Он верит и предвидит: чтобы его учеников не ограничивало то, что они чехи, им когда-то нужно будет договориться на других языках, чтобы они могли полностью участвовать в том удивительном обмене, который для Европы характерен. Поэтому уже маленьким детям полезно познавать мир, и сразу на трех языках одновременно – это же так просто и естественно!

Только гораздо позже я понял, в чем состоит настоящая исключительность и уникальность произведения Orbis pictus. Эту энциклопедию для детей написал один из крупнейших ученых того времени, который детей уважал до той степени, что ради них он всю свою ученость скроет лишь потому, чтобы они его поняли. А это с тех пор никому сделать не удалось, а ни один крупный ученый это сделать даже не попытался.

Ян Сокол

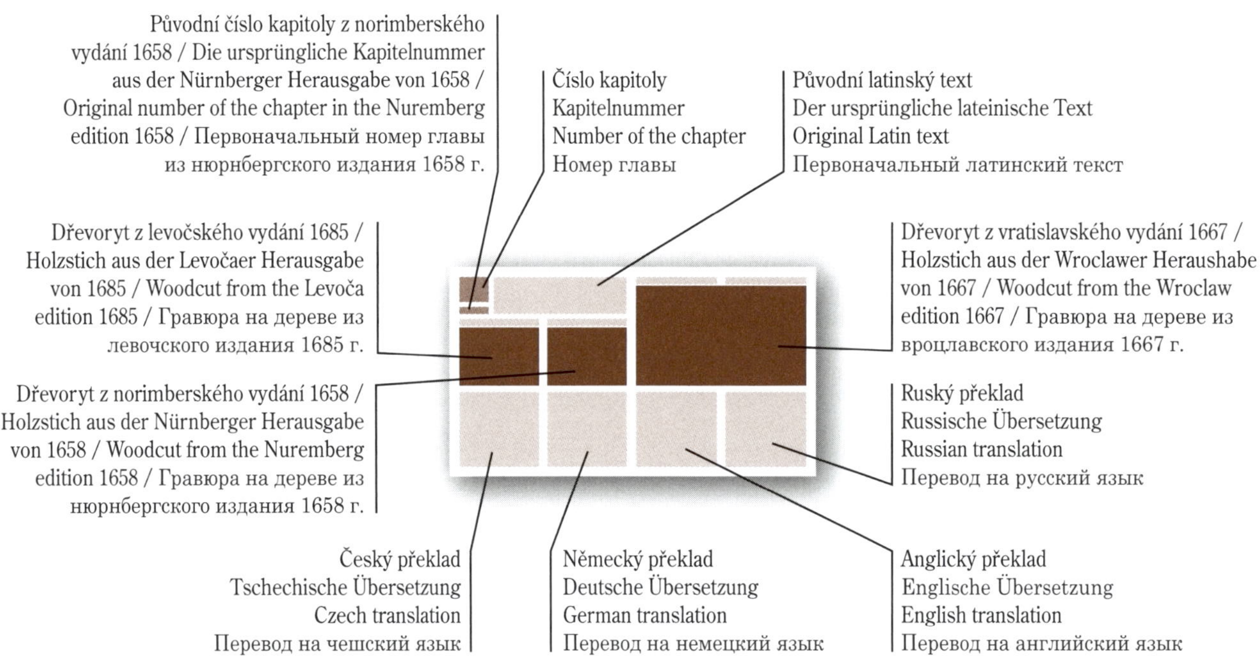
Původní číslo kapitoly z norimberského vydání 1658 / Die ursprüngliche Kapitelnummer aus der Nürnberger Herausgabe von 1658 / Original number of the chapter in the Nuremberg edition 1658 / Первоначальный номер главы из нюрнбергского издания 1658 г.
Číslo kapitoly
Kapitelnummer
Number of the chapter
Номер главы
Původní latinský text
Der ursprüngliche lateinische Text
Original Latin text
Первоначальный латинский текст
Dřevoryt z levočského vydání 1685 / Holzstich aus der Levočaer Herausgabe von 1685 / Woodcut from the Levoča edition 1685 / Гравюра на дереве из левочского издания 1685 г.
Dřevoryt z vratislavského vydání 1667 / Holzstich aus der Wroclawer Heraushabe von 1667 / Woodcut from the Wroclaw edition 1667 / Гравюра на дереве из вроцлавского издания 1667 г.
Dřevoryt z norimberského vydání 1658 / Holzstich aus der Nürnberger Herausgabe von 1658 / Woodcut from the Nuremberg edition 1658 / Гравюра на дереве из нюрнбергского издания 1658 г.
Ruský překlad
Russische Übersetzung
Russian translation
Перевод на русский язык
Český překlad
Tschechische Übersetzung
Czech translation
Перевод на чешский язык
Německý překlad
Deutsche Übersetzung
German translation
Перевод на немецкий язык
Anglický překlad
Englische Übersetzung
English translation
Перевод на английский язык

Komenského Orbis sensualium pictus

Jazyková učebnice

Protože v době Komenského byla latina jazykem mezinárodní vzdělanosti a prostředkem otvírajícím cestu k vyššímu vzdělání, hledal J. A. Komenský způsob, jak se jí rychleji a snáze naučit, aby zůstalo dost času na vzdělání věcné. Jeho vlastní učitelská zkušenost, znalost tehdejších učebnic a jejich kritické posouzení jej přivedlo k závěru, že užitečná jazyková učebnice by měla žákovi přinášet nejen znalost jazyka, ale také poučení o reálném světě. Proto vybral okolo 7 300 nejzávažnějších slov a vytvořil z nich tisíc vět, které sestavil podle věcného principu do sta lekcí. Tak vznikla učebnice Janua linguarum reserata, která vyšla r. 1631 v Lešně původně pouze s latinským textem. Komenský si však představoval, že zprostředkujícím jazykem k ní bude jazyk mateřský. Brzy byl pořízen překlad do polštiny a Komenský sám vypracoval českou verzi s názvem Dvéře jazyků otevřené.

I když měla Janua ve světě značný úspěch, pro začátečníky byla velmi náročná, a tedy obtížná. Proto vypracoval Komenský učebnici podstatně jednodušší a příznačně ji nazval Januae linguarum reserate Vestibulum (Předsíň otevřených dveří jazyků).

Završení práce na jazykových učebnicích představuje u Komenského dílo Orbis sensualium pictus. Tato nejúspěšnější a nejproslulejší učebnice vznikla zkrácením a zjednodušením textu Januy a byla určena jako příprava k probírání Vestibula i Januy.

Běžně užívaný název tohoto proslulého díla Orbis pictus je zkrácený název, který postrádá z hlediska autorova záměru důležité upřesnění, že jde o svět věcí a jevů smysly chápaných nebo smysly vnímatelných. Jasně a výrazně svůj záměr vysvětlil sám Komenský v předmluvě k tomuto dílu: *Hlavní při tom je předkládat věci smysly vnímatelné nejdříve smyslům, aby mohly být pochopeny … Neboť nemůžeme ani jednat, ani mluvit moudře, jestliže dříve neporozumíme správně všemu, co máme činit nebo o čem máme mluvit. V rozumu pak nic není, co nebylo dříve ve smyslech. Pilně cvičit smysly ve správném chápání rozdílů mezi věcmi znamená klást základy veškeré moudrosti, vší moudré výmluvnosti a všem moudrým úkonům v životě.* Komenský tedy usiloval o to, aby každý výraz, který si člověk učením osvojuje, byl spojen s poznáním a pochopením předmětu nebo jevu daným výrazem označeného. Proto zdůrazňoval podíl sluchu, zraku, chuti i hmatu při jazykovém vyučování a požadoval, aby žák to, co pojmenovává, mohl ukázat na obrázku i ve skutečnosti a mohl to také namalovat.

Orbis sensualium pictus představuje tedy nejdůslednější aplikaci didaktických názorů Komenského na jazykové vyučování. Originálnost Orbisu tkví v tom, že každá kapitola obsahuje nejdříve obrázek k probíranému tématu a pomocí číselných odkazů jsou vzájemně propojeny texty s ilustracemi jednotlivých předmětů a jevů.

U Orbisu lze sledovat i pozoruhodný vztah k mateřskému jazyku. Jak sám Komenský napsal v předmluvě, mohl Orbis v překladu do živého jazyka vést i k osvojení mateřského jazyka, a to od počátečního čtení až po věcné učení. Aby se žákům usnadnily počátky čtení, zařadil na začátek tzv. živou abecedu. Sám také vysvětlil, jak postupovat, aby se učení zbavilo *„obtížného trápení mysli"*. Uvažoval také o možnosti připojit na konci krátkou gramatiku mateřského jazyka. Překlad Orbisu do mateřského jazyka měl tak posloužit nejen k názornějšímu poznání, ale také k snazšímu osvojení latiny. Komenský předpokládal i ucelené využití Orbisu pro předškolní věk, a to jako obrázkové knihy k prohlížení a tím k seznamování dítěte se světem.

Orbis jako odraz filozofických názorů Komenského

Orbis sensualium pictus není pouze vyvrcholení didaktických snah autora, představuje zároveň důležitý článek jeho pansofického úsilí. Je tak odrazem i jeho filozofických názorů. Komenský vždy usiloval o to, aby vzdělání bylo plné a ucelené. Proto koncipoval i tuto jazykovou učebnici jako smyslům dostupnou encyklopedii a dokonce nejdříve uvažoval o tom, že ji nazve Encyklopaedia sensualium nebo také Lucidarium. Název Orbis sensualium pictus je tedy až dodatečný a tak i svou obrazností dětem pochopitelnější.

K tomu je ovšem nezbytné dodat, že pojem encyklopedie měl pro Komenského poněkud jiný obsah, než jak jej chápeme dnes, kdy se často škole vyčítá tzv. nežádoucí encyklopedismus a rozumí se tím přetíženost faktografickými poznatky, neúměrnými stupni vzdělání, popřípadě mechanicky řízený soubor poznatků bez sledování souvislostí mezi nimi. Komenský pod slovy encyklopedie a encyklopedický rozuměl vzdělávací soustavu v uzavřeném kruhu, v němž jsou jevy navzájem spojeny v jeden organický celek. Šlo mu tedy o vzdělání systémové.

Jak vypadá ono propojení věcí a jevů, ukazuje nejlépe řazení jednotlivých kapitol Orbisu. V souladu se svým filozofickým názorem věnoval Komenský první kapitolu pojednání o Bohu, jeho podstatě a vlastnostech. V závěru kapitoly představuje Boha jako stvořitele, vládce a udržovatele světa. V dalších šesti kapitolách se popisuje svět jako celek: nebe, živly, oblaka a země. Následuje oddíl o „plodech zemských“, mezi něž patří hory a kameny jako neživá příroda, rostliny, živočichové zemští a vodní jako živá příroda; uzavřen je tento oddíl kapitolou o člověku jako nejvyšším tvoru živé přírody. V oddílu o člověku pak Komenský ukazuje člověka v jeho sedmi vývojových stupních. Popisuje lidské tělo a tělesné orgány. Zvláštní kapitolu věnuje vnějším a vnitřním smyslům. Pět vnějších smyslů je zobrazeno pomocí oka, ucha, nosu, jazyka a rukou. Jako vnitřní nezobrazitelné smysly jsou uváděny smysl pospolný, přemýšlení a paměť. Pojednáním o duši se uzavírá oddíl o člověku jedinci a zároveň nejdokonalejším Božím díle. Jistě ne náhodou je zařazena i kapitola, v níž se ukazují lidé deformovaní, s výraznými rozdíly od normálních tělesných proporcí, jako jsou obr, pidimužík, člověk dvojhlavý, hrbatý, apod. To odpovídá Komenského přesvědčení, že Boží dílo postupně ztratilo svou původní dokonalost.

Kapitolou 44 začíná oddíl věnovaný činnostem, jimiž se člověk zapojuje do života. Uvádí se tak svět lidské práce, která do světa přírody a člověka přináší dynamický obrat tím, že člověk svou tvůrčí činností mění přírodu, zdokonaluje sám sebe, až se znovu dostává k Bohu jako nejvyšší dokonalosti. Proto snad tento oddíl začíná symbolicky kultivovanou zahradou. Komenský zdůvodňuje tento vstup tím, že první Adamovou prací bylo zahradnictví. Hned další kapitoly představují zemědělství a chov dobytka. Jako v mnoha dalších kapitolách nechybí ani u těchto základních činností určitý pohled do historie. Komenský totiž připomíná, patrně v souvislosti se známými pověstmi o zakladatelích vládnoucích dynastií, kteří byli povoláváni od pluhu k vládě, že orba a chov dobytka byly dříve dílem reků a králů, kdežto v současné době jsou věcí nejnižšího stavu. Následující kapitoly se týkají všech základních činností a řemesel, jimiž si člověk zajišťoval stravu, pořizoval oděv a obuv, budoval obydlí. Kapitola o strojích ukazuje, jak Komenský sledoval technická zdokonalení a vynálezy. Postupně se probírají stále náročnější druhy práce, jako jsou těžba a zpracování železné rudy, práce truhlářské, soustružnické, hrnčířské a nakonec vše, co se potřebuje k vybavení domu a k životu v něm, tedy i hloubení studní, jakož i lázeňské, holičské a ranhojičské služby.

Oddíl několika kapitol počínající stájemi a končící rozbitím korábu se sice na první pohled zdá poněkud nesourodý, ale jeho vnitřní vazba je dána tím, že jde o okruh činností, jimiž člověk postupně překonává omezení daná prostorem a časem. Jde nejen o činnosti samotné, jako je péče o koně, výroba sudů, řemenů a provazů, jízda na koni, převoz a plavání, ale i o výsledky těchto činností: hodiny, dalekohled, optická skla, vozy a různé druhy lodí. Poslední kapitola oddílu připomíná, že vedle úspěchů a různých zdokonalení provází toto úsilí někdy i nezdar - někteří lidé se při rozbití korábu zachrání, avšak jiní bídně hynou a jejich zboží jde k mořskému dnu.

Tematické propojení má také další okruh, věnovaný sdělování a šíření myšlenek, tj. umění psát, knize, tiskárně, škole. To, že k slovesnému umění připojil Komenský jako další umělecký projev hudbu, mělo nepochybně spojitost s jeho vlastní činností hymnografickou, jejímž výsledkem byl Kancionál, vydaný r. 1659 v Amsterodamu. Filozofie představuje v Orbisu souhrn všech věd; mezi nimi má významné postavení věda o čísle, protože je předpokladem ke zkoumání jiných vědních oblastí. Pak následuje zeměměřičství a poznávání těles a jevů mimozemských. Několik schematických nákresů přibližuje dobové astronomické poznatky, ovšem z hlediska geocentrického názoru (to bylo pozdějšími editory upravováno). Mapou tehdejší Evropy se celý soubor týkající se vědeckého poznání uzavírá.

Oblasti morálního formování člověka věnoval Komenský oddíl etiky, do něhož zařadil jak obecné poučení o morálce, tak celý soubor lidských ctností: opatrnost, píli, střídmost, statečnost, trpělivost, lidskost, spravedlnost a štědrost. Etika tak obsahuje návod, jak má člověk řídit sám sebe.

Oddíl týkající se společenského života začíná manželstvím, které představuje jeho základní článek. Pak následují vyšší články, jejich řízení a spravování. Ze společenského života nevyloučil Komenský ani kejklíře, divadlo a různé hry. Královstvím, jeho správou a vojenskými záležitostmi se uzavírá část týkající se světské moci. Pak následuje oddíl vedoucí člověka k moci nejvyšší. K Bohu se člověk přibližuje prostřednictvím náboženství. Ta uvádí Komenský ve vývojové linii od pohanství, židovství ke křesťanství a nakonec i mohamedánství, jež je vysvětleno jako směs všech náboženství předcházejících. I když je křesťanství vyloženo nejpodrobněji, pro ostatní náboženství je příznačná věcnost pojednání bez jakéhokoliv projevu náboženské nesnášenlivosti. V předposlední kapitole o Boží spravedlnosti varuje Komenský před pověrami, ďáblovými úklady a různými čaroději, svádějícími člověka ze správné cesty. Posledním soudem, který zajišťuje spravedlivým věčnou blaženost, se dílo uzavírá a zároveň se uzavírá celý cyklus, který od Boha vyšel a k němu se opět vrátil.

Uvedený vzdělávací cyklus znamená ve své podstatě konkrétní didaktickou aplikaci obecných pansofistických idejí Komenského, jež později našly své nejobsažnější vyjádření v díle O nápravě věcí lidských. Celý didaktický systém Komenského vychází z pevného filozofického základu. Na místě je třeba podotknout, že Komenský byl u nás dříve mnohdy představován jako vynikající pedagog a nebyl doceňován jeho přínos jako filozofa a filozofa výchovy. Jeho názory tvořivě rozvíjela česká neoficiální větev filozofického bádání, představovaná především profesorem Janem Patočkou a jeho žáky.

Komenský jako filozof vycházel z Bohem daného řádu a byl přesvědčen, že člověk má v něm své místo. Lidské poslání člověka na tomto světě je jeho spolupráce při směřování k nejvyššímu cíli. Důraz položil na aktivitu člověka, na jeho tvůrčí činnost, na jeho schopnost sebezdokonalování. Komenský jako nikdo před ním poznal vysokou hodnotu lidské práce a tvůrčí činnosti člověka.

Cesta k uživatelům díla

Cesta Komenského díla Orbis pictus k českému čtenáři nebyla ani snadná, ani rychlá. Komenský měl latinský text díla připraven již v době svého pobytu v Uhrách v Sárospataku (1650-1654), kam byl pozván uherskou šlechtou, aby pomohl při školské reformě. Avšak pro tamější tiskárnu nebylo snadné zhotovit obrázky a ani maďarský text, paralelní textu latinskému, nebyl včas hotov. Komenský pak poslal z Lešna svůj text tiskaři Michalu Endterovi do Norimberka. To se stalo ještě před známým požárem, jehož ničivé síle podlehly ostatní rukopisy Komenského. Tím byl Orbis zachráněn. Endter opatřil k latinskému textu německý překlad básníka Zikmunda von Birken. Orbis sensualium pictus tak poprvé vyšel v Norimberku r. 1658 jako dvojjazyčné vydání. Pro veliký úspěch díla se jeho druhé vydání objevilo již r. 1659, následovala mnohá další vydání, také čtyřjazyčné s italštinou a francouzštinou a trojjazyčné s maďarštinou. V latinsko-německé verzi se Orbis rychle rozšířil jako učebnice v městech severního a středního Německa.

Orbis sensualium pictus velmi brzy pronikl i do Anglie a rychle dosáhl obliby. Již v r. 1659 byl vytištěn v Londýně se zajímavou předmluvou vydavatele Charlese Hoola, který jej přivítal jako uskutečnění vlastní myšlenky. Jsou známá i další anglická vydání, dvanácté vydání, o které se zasloužil William Jones, bylo vytištěno r. 1798 v New Yorku. Orbis pictus se stal užívanou a oblíbenou učebnicí v Dánsku a Švédsku. Na jeho životnost a působivost mělo vliv i to, že byl upravován a rozšiřován podle aktuálních potřeb. Jeho světová obliba vyvrcholila v letech 1670-1680.

Pro šíření Orbisu v Polsku mělo velký význam město Vratislav. Péčí nakladatele Kašpara Müllera vyšel poprvé v r. 1667 v jazycích latinském, francouzském, německém a polském. Jsou známá i pozdější četná trojjazyčná vydání s polštinou a existuje také dvojjazyčné vydání latinsko-polské.

Z latinsko-německo-maďarské úpravy Endterovy vycházeli později nakladatelé v Uhrách a Sedmihradsku. Pro vznik českého textu Orbisu je významné čtyřjazyčné vydání z r. 1685 z tiskárny Samuela Brewera v Levoči. V tomto známém vydání následuje po textu latinském, německém a maďarském ještě čtvrtý text, který je směsí nejen českých a středoslovenských jazykových prvků, ale i některých prvků východoslovenských, podobných polštině, popřípadě i prvků polských. Zvláštní ráz tohoto textu, který reprezentuje přípravnou fázi spisovné slovenštiny, může být vysvětlen kolektivní prací na jeho vzniku, pobytem jednoho autora, nejspíš Daniela Horčičky-Synapia, v různých jazykových oblastech, částečně i zásahem sazeče aj. Latinský název Orbis sensualium pictus je v tomto vydání přeložen jako Svět viditedlný. Rytiny zhotovil Jonáš Bubenka. Dílo bylo znovu vydáno v r. 1728, avšak již s textem opraveným směrem k biblické češtině. Tato oprava Jiřího Bahyla představuje skutečný první český text.

První ruský překlad Orbisu byl pořízen za vlády Petra Velikého. Měl sloužit moskevské vyšší škole, zůstal však v rukopise a je uložen v petrohradské knihovně akademie věd. První dochované vydání Orbisu s ruským textem vyšlo v r. 1760 v pětijazyčné podobě pod názvem Видимый свѣтъ. Šlo o první vydavatelský čin nově založené moskevské univerzity z podnětu M. V. Lomonosova.

Uplatnění Orbisu v Rakousku dlouho nebylo možné. Až piaristický pedagog P. Gracián Marx se zasloužil o jeho vydání v r. 1756 a využití jako gymnazijní učebnice. Šlo o výbor obsahující 82 kapitoly z původního norimberského vydání. Povolena byla i verze s českým textem, ale ten vyšel pouze jednou, a to v r. 1779. Z Marxova výboru vycházely další úpravy. Pro češtinu má význam vydání profesora gymnázia v Sárospataku Jana Szombathyho, který připojil ještě k textu latinskému a německému text maďarský a ve vydáních z r. 1798, 1806 a 1820 i text český. Tradice Orbisu se v Uhrách a Sedmihradsku držela ještě dlouho do 19. století.

Vedle cest zprostředkovaných přes Uhry a Vídeň se ukázala jako zvlášť významná třetí cesta Orbisu do Čech, a to z polské Vratislavi. Tamější nakladatel byl ve styku s německými Endtery. Když pak Endterové přestali mít na vydávání Orbisu zájem, prodali rytiny s druhou garniturou štočků tiskaři Wilhelmu Bog. Kornovi. Ten vydal čtyřjazyčný latinsko-francouzsko-německo-polský Orbis r. 1805 a 1818. V době národního obrození se druhé vydání tohoto Orbisu dostalo do rukou profesoru gymnázia v Hradci Králové Josefu Chmelovi. Myšlenka dát českému čtenáři Komenského dílo Chmelu tak zaujala, že sám pořídil nový překlad do češtiny a získal pro vydání nakladatele Jana Hostivíta Pospíšila. Odkoupili od vratislavského nakladatele štočky, a tak vyšlo r. 1833 v Hradci Králové nové vydání latinsko-německo-česko-polsko-francouzské. Díky promyšlenému úsilí editora i nakladatele, kteří získali četné předplatitele, dostal se Orbis sensualium pictus konečně i do širší české čtenářské veřejnosti. Za čtyři měsíce bylo prodáno 5 300 výtisků. Pospíšilové vydávali Orbis i později, v Hradci Králové a v Praze, avšak již bez polštiny.

Srovnání ilustrací ze 17. a 19. století / Vergleich der Illustrationen aus dem 17. und 19. Jahrhundert / Comparison of the illustrations from the 17th and 18th centuries / Сравнение иллюстраций 17 и 19 веков

Životnost Orbisu byla veliká, našel si cestu i do odborných škol, a to jako konverzační česko-německá příručka. Pod názvem Orbis pictus v řeči české a německé vyšel v úpravě Františka Patočky, profesora na reálném gymnáziu v Táboře. Obrázky pořídil Jan Kostěnec, profesor na reálných školách v Pardubicích. Vydal jej L. Kober r. 1870 v Praze. Úprava profesora Patočky je poměrně značná, jde v ní zejména o doplnění partií o hospodářských strojích, železnici, továrně apod. To vše ukazuje na praktický a aktuální účel příručky: *„...aby žáci nabyli znalosti z oboru hospodářství, průmyslu, a naučili se správně českým názvům zde se naskytujícím, a za druhé, aby na základě těchto vědomostí naučili se také pojmenováním těmto v jazyku německém.“* Obrázky jsou pouze tam, kde je to nezbytné pro pochopení textu.

Orbis pictus je zajímavým dokladem o živých stycích s jihoslovanskou kulturou. Vydal jej J. Beneš v Českém Brodě jako novou polyglotu s názvem Свет у сликама v jazyce srbském, českém, německém a francouzském. Vydání není datováno a je bez latiny. Jeho hlavní účel vysvětlil překladatel do srbštiny Jovan M. Popovič v úvodním dopise. Šlo mu o to, aby se pomocí Orbisu Srbové snadno naučili česky a Češi srbsky. Proto také bylo na konci připojeno poučení o výslovnosti a přízvuku v češtině. Úvod je datován r. 1913. Vydání, hotové již v r. 1914, bylo však za první světové války zkonfiskováno, k jeho dotištění a dodání do

Srbska došlo až po válce. Touto podobou Orbisu, která měla sloužit k poznání a praktickému osvojení dvou slovanských jazyků, končí u nás užití Orbisu jako jazykové učebnice. V pozdějších edicích jde již o jeho vydání jako kulturní památky nebo pramene pro vědeckou práci.

Roku 1929 vyšel v Brně Orbis pictus jako 10. svazek velké edice Veškerých spisů Jana Amose Komenského. Bylo to kritické vydání, které připravil Hertvík Jarník s obsáhlou studií o vnějších dějinách díla.

S odvoláním na záměr Komenského, aby Orbis sloužil i v národní škole jako čítanka a učebnice prvouky, bylo milovníkům kulturních památek určeno české jednojazyčné vydání Orbisu z r. 1941. Mělo připomenout a uctít nejen památku J. A. Komenského u příležitosti 270. výročí jeho úmrtí, ale i dílo obrozeneckých pracovníků Josefa Chmely a Jana Hostivíta Pospíšila. Český text podle Chmelova překladu připravil a částečně modernizoval Fr. Oberpfalcer. S úvodem J. Hendricha jej vydal Fr. Borový v Praze. Díky grafické úpravě F. Muziky i zdařilému využití starých štočků, které J. H. Pospíšil odkoupil z Vratislavi, vznikla tak kniha důstojně reprezentující naši národní kulturu a posilující v době okupace národní sebevědomí.

Poměrně značně bylo u nás rozšířeno i jubilejní čtenářské vydání k 350. výročí narození Komenského. Vydal jej r. 1942 Fr. Strnad na Královských Vinohradech jako 8. svazek knihovny Růžový palouček za redakce Antonína Dolenského s textem latinským, německým a českým, a to s vynecháním kapitoly o židovském náboženství.

Fotolitografickým přetiskem čtyřjazyčného vydání levočského z r. 1685 je jubilejní vydání Státního pedagogického nakladatelství v Praze, které vyšlo v r. 1958 jako první a v r. 1979 jako druhé nezměněné vydání. Jeho významnou součástí je zasvěcený doslov Jiřiny Popelové.

V nakladatelství Československé akademie věd byl vydán v r. 1970 dvojjazyčný latinsko - německý Orbis sensualium pictus jako součást velkého vědeckého vydání Díla Jana Amose Komenského 17 (J. A. Comenii Opera omnia). Toto kritické vydání bylo uskutečněno zásluhou editorů Jaromíra Červenky (latinský text) a Stanislava Králíka (německý text), kteří vyšli z norimberských vydání z r. 1659 a 1662. Doslov k tomuto vydání napsala Marta Bečková.

Předkládaný netradiční výbor z Komenského díla Orbis sensualium pictus chce být živým odkazem autora. Proto se týká především světa lidských činností. To znamená, že byly vybrány z díla ty části, které nejvýrazněji ukazují jednotlivé činnosti člověka, popřípadě jejich výsledky hmotné i duchovní. Jde nám o to, abychom ukázali dynamičnost Orbisu i to, jak Komenský dovedl zhuštěně a pregnantně vystihnout to, co je podstatné pro jednotlivé činnosti. Zatímco první část Orbisu utrpěla na své aktuálnosti změnami, které přinesl rozvoj lidského poznání, kapitoly ukazující svět lidské práce působí svěže jako zajímavé dokumenty o způsobu života a lidském snažení v době, kdy žil jejich autor, popřípadě ještě v dobách starších.

Naděžda Kvítková

Literatura

- ČAPKOVÁ, D.: Dílo Komenského a myšlení 17. století. Filozofický časopis, roč. XXXV, č. 6, s. 941-949.
- ČAPKOVA, D.: Některé základní principy pedagogického myšlení Komenského. Rozpravy ČSAV (XXXVII), Praha 1977.
- ČAPKOVA, D.: Vzdělávání malých dětí v pojetí univerzálního celoživotního vzdělávání v díle J. A. Komenského. Praha Univerzita 17. listopadu 1971.
- FLOSS, P.: J. A. Komenský a vědy o přírodě a člověku. Krajský pedagogický ústav Olomouc 1983.

- HÁDEK, K: Komunikativní vztahy jako interpretační hledisko při klasifikaci jazykových jevů. In AUPO, Philologica 55, 1987, s. 91-95.
- JARNÍK, H.: Předmluva k vydání 10. sv. Veškerých spisů Jana Amose Komenského. Brno 1929.
- PATOČKA, J.: Filozofické základy Komenského pedagogiky. In: Komeniologické studie I. Praha: OIKOYMENH 1997, s. 164-231.
- Otázky současné komeniologie. Praha Academia 1981.
- POPELOVÁ, J.: Epilog. In: Orbis sensualium pictus. SPN Praha 1979.
- ŠKARKA, A.: Jan Ámos Komenský. In: Dějiny české literatury I. Starší česká literatura. Praha 1959, s. 412-454.
- VESELÝ, J.: Komenský jako předchůdce současné teorie vyučování cizím jazykům. In: Jan Amos Komenský. Příspěvky z komeniologické konference pořádané Pedagogickou fakultou v Hradci Králové ve dnech 8.-11. října 1970, SPN Praha 1972, s. 51-54.
- Vybrané spisy Jana Amose Komenského. Svazek IV. Výbor z obecné porady o nápravě věcí lidských a z věcného pansofického slovníku. SPN Praha 1966 (Úvod J. Červenky s. 16-53).

Ediční poznámky

Výběr z díla Orbis sensualium pictus tematicky vztažený ke světu lidských činností – celkem 60 kapitol – vyšel r. 1991 jako první vydání v nakladatelství Trizonia. Byl však připravován ještě před rokem 1989, a to původně pro Státní pedagogické nakladatelství se záměrem pro uplatnění při cizojazyčném vyučování jako doplňkový text. Je zcela pochopitelné, že zájem o latinu tehdy nebyl, a proto byl výběr připravován jen ve čtyřech živých jazycích, tj. v češtině, němčině, angličtině a ruštině. Text redakčně zpracovaný pro tisk však v době organizačních změn neměl naději na brzké vydání v SPN a tak se stalo, že byl přenechán soukromému nakladateli.

Nové upravené a rozšířené vydání v nakladatelství Machart bylo doplněno o původní latinský text J. A. Komenského z norimberského vydání, který vyšel v kritické edici r. 1970 v nakladatelství ACADEMIA. Dále byly přidány kapitoly, které charakterizují ideová východiska jejich autora (Bůh, svět, smysly, ctnosti a náboženství). Zcela nově byla řešena i grafická úprava. Latinský text jako výchozí je uveden samostatně hned nad příslušnými obrázky. Mutace v živých jazycích jsou vedeny tendencí, aby odpovídaly současnému dnešnímu vyjadřování.

Proto se poměrně často odlišuje český text, zejména v pořádku slov, od původní latinské předlohy i starších českých překladů, poněkud omezeno je proti latině užití tzv. nepravých vět vztažných i přechodníkových vazeb. Pro větší významovou zřetelnost bylo někdy třeba zopakovat podmět nebo jej vyjádřit pomocí substantiva místo zájmena, ojediněle bylo provedeno zkrácení textu, jestliže to bylo účelné z hlediska dnešního čtenáře.

K základní české verzi jsou připojeny její překlady do současných živých jazyků. Protože poměr současných jazyků k sobě navzájem je jiný, než byl v době vzniku Orbisu jejich vztah k latině, která představovala určitý ideál a vzor, ukázalo se nyní jako vhodnější otisknout v každém jazyce celý text souvisle bez dřívějšího členění.

I když dnes již nebude výběr sloužit výuce cizích jazyků jako základní učebnice, byli bychom rádi, kdyby podpořil zájem o cizojazyčné vzdělání a našel uplatnění jako soubor prohlubujících textů, které rozšiřují pohled na to, co se v průběhu tří a půl století změnilo v poznání světa i ve vyjadřování o něm.

Obrazová část našeho Orbisu chce připomenout tři různá vydání: velké obrázky vycházejí ze starých štočků použitých v edicích J. H. Pospíšila a Jar. Pospíšila, které úspěšně posloužily i jako součást českého jednojazyčného vydání v r. 1941; menší obrázky vedle sebe jsou přejaty z vydání norimberského a levočského. Rozdíl je ovšem v tom, že dříve šlo vždy o přímé tiskařské využití štočků, kdežto dnes jde o jejich fotografické přenesení v podobě odpovídající novému formátu publikace.

Comenius' Orbis sensualium pictus

Sprachlehrbuch

Da zu Comenius' Zeiten Latein internationale Bildungssprache und Mittel zu höherer Bildung war, suchte Comenius eine Möglichkeit, wie man es schneller und leichter lernen kann, damit mehr Zeit für die Sachausbildung bleibt. Seine eigene Erfahrung als Lehrer, Kenntnis der damaligen Lehrbücher und ihre kritische Beurteilung brachten ihn zu der Schlussfolgerung, dass ein nützliches Sprachlehrbuch dem Schüler nicht nur Sprachkenntnisse vermitteln sollte, sondern auch Belehrung über die reale Welt. Deshalb wählte er 7 300 der wichtigsten Wörter aus und bildete mit ihnen tausend Sätze, die er nach dem Sachprinzip zu hundert Lektionen zusammenstellte. So entstand das Lehrbuch „Janua linguarum reserata", das 1631 in Lešno (Lissa) ursprünglich nur mit dem lateinischen Text erschien. Comenius plante jedoch, dass die Vermittlungssprache dazu die Muttersprache sein wird. Bald wurde eine Übersetzung ins Polnische erstellt und Comenius arbeitete selbst die tschechische Version aus mit dem Titel „Die geöffnete Sprachenpforte".

Auch wenn Janua weltweit einen bedeutenden Erfolg hatte, war sie für Anfänger sehr anspruchsvoll und daher schwierig. Deshalb arbeitete Comenius ein wesentlich leichteres Lehrbuch aus und nannte es sprichwörtlich „Januae linguarum reserate Vestibulum" (Vorraum der geöffneten Sprachenpforte).

Den Höhepunkt der Arbeit an Sprachlehrbüchern stellt Comenius' Werk „Orbis sensualium pictus" dar. Dieses erfolgreichste und berühmteste Lehrbuch entstand durch die Kürzung und Vereinfachung des Textes von Janua und sollte als Vorbereitung für die Durchnahme von Vestibulum und Janua dienen.

Der häufig verwendete Titel dieses berühmten Werkes „Orbis pictus" ist ein verkürzter Titel, der vom Standpunkt der Absicht des Autors die richtige Präzisierung vermisst, dass es sich um eine Welt von Dingen und Erscheinungen handelt, die sinnlich begriffen und wahrgenommen werden. Comenius selbst hat seine Absicht im Vorwort zum Werk klar und deutlich ausgedrückt: *„Das Wichtigste dabei ist, den Sinnen zuerst sinnlich wahrnehmbare Dinge vorzulegen, damit sie begriffen werden können … Denn wir können weder handeln noch klug reden, bevor wir nicht alles richtig verstanden haben, was wir tun und wovon wir reden sollen. Was nicht zuerst in den Sinnen war, ist dann im Verstand nicht enthalten. Die Sinne im richtigen Begreifen der Unterschiede zwischen den Dingen fleißig üben bedeutet, Grundlagen aller Weisheit, aller weisen Beredsamkeit und aller weisen Handlungen im Leben zu legen."* Comenius war also bemüht, dass jeder Ausdruck, den man sich durch Lernen aneignet, mit dem Erkennen und Verstehen des Gegenstandes oder der durch den gegebenen Ausdruck bezeichneten Erscheinung verbunden ist. Deshalb betonte er den Anteil von Hör-, Seh-, Geschmack- und Tastsinn beim Sprachunterricht und verlangte, dass der Schüler das, was er benennt, auf dem Bild und in der Wirklichkeit zeigen sowie zeichnen kann.

„Orbis sensualium pictus" stellt also die konsequenteste Anwendung didaktischer Ansichten von Comenius über den Sprachunterricht dar. Die Originalität von Orbis besteht darin, das jedes Kapitel zunächst ein Bild zum behandelten Thema enthält und die Texte mit den Illustrationen der einzelnen Gegenstände und Erscheinungen durch numerische Hinweise verbunden sind.

Bei Orbis ist eine bemerkenswerte Beziehung zur Muttersprache zu beobachten. Wie Comenius selbst im Vorwort schrieb, konnte Orbis beim Übersetzen in eine lebendige Sprache auch zur Aneignung der Muttersprache führen, und zwar vom anfänglichen Lesen bis zum Sachlernen. Um den Schülern die Leseanfänge zu erleichtern, führt er am Anfang das sog. lebendige Alphabet an. Er erklärte auch selbst, wie man vorgehen muss, um das Lernen von „beschwerlicher Geistesquälerei" zu befreien. Er überlegte auch, am Ende eine kurze Grammatik der Muttersprache hinzuzufügen. Die Übersetzung von Orbis in die Muttersprache sollte so nicht nur einer anschaulichen Erkenntnis, sondern auch einer leichteren Aneignung von Orbis im Vorschulalter, und zwar als ein Bilderbuch zum Anschauen und somit zu einer Bekanntmachung mit der Welt dienen.

Orbis als Widerspiegelung philosophischer Ansichten von Comenius

„Orbis sensualium pictus" ist nicht nur ein Höhepunkt der didaktischen Bemühungen des Autors, sondern er stellt zugleich auch ein wichtiges Glied seiner pansophischen Bestrebungen dar. Er ist also auch eine Widerspiegelung seiner philosophischen Ansichten. Comenius hat sich stets um eine volle und ganzheitliche Bildung bemüht. Deshalb konzipierte er auch dieses Sprachlehrbuch als eine den Sinnen zugängliche Enzyklopädie und erwägte anfänglich sogar sie Encyklopaedie sensualium oder auch Lucidarium zu nennen. Der Titel „Orbis sensualium pictus" entstand also erst nachträglich und ist mit seiner Bildhaftigkeit den Kindern auch verständlicher.

Dazu ist allerdings hinzuzufügen, dass der Begriff Enzyklopädie für Comenius eine etwas andere Bedeutung hatte, als wir ihn heute verstehen, wo man der Schule oft sog. unerwünschten Enzyklopädismus vorwirft. Darunter versteht man Überlastung mit faktographischem Wissen, das der entsprechenden Bildungsstufe nicht adäquat ist, bzw. einen mechanisch gesteuerten Komplex von Kenntnissen ohne Bewusstsein der Zusammenhänge zwischen ihnen. Comenius verstand unter Enzyklopädie und enzyklopädisch ein Bildungssystem im geschlossenen Kreis, in dem die Erscheinungen miteinander zu einem organischen Ganzen verbunden sind. Es ging ihm also um eine systemhafte Bildung.

Wie diese Verknüpfung von Dingen und Erscheinungen aussieht, zeigt uns am besten die Reihenfolge der einzelnen Kapitel des Orbis. In Übereinstimmung mit seiner philosophischen Anschauung widmete Comenius das erste Kapitel Gott, seinem Wesen und seinen Eigenschaften. Am Ende des Kapitels stellt er Gott als Schöpfer, Herrscher und Erhalter der Welt dar. In den weiteren sechs Kapiteln beschreibt er die Welt als Ganzes: Himmel, Elemente, Wolken und Erde. Es folgt der Abschnitt über die „Erdfrüchte", zu denen Berge und Steine als nichtlebendige Natur, Pflanzen und Tiere auf der Erde und im Wasser als lebendige Natur gehören; dieser Abschnitt schließt mit einem Kapitel über den Menschen als das höchste Geschöpf der lebendigen Natur. Im Abschnitt über den Menschen zeigt dann Comenius den Menschen in seinen sieben Entwicklungsstufen. Er beschreibt den menschlichen Körper und die Körperorgane. Ein besonderes Kapitel widmet er den äußeren und inneren Sinnen. Die fünf äußeren Sinne sind abgebildet durch Auge, Ohr, Nase, Zunge und Hände. Als innere nicht abbildbare Sinne sind der Sinn für Gemeinschaft, Nachdenken und Gedächtnis angeführt. Der Abschnitt über den Menschen als Individuum und zugleich die vollkommenste Schöpfung Gottes schließt mit der Behandlung über die Seele ab. Sicher nicht zufällig ist auch das Kapitel enthalten, in dem auch deformierte Menschen gezeigt werden, mit markanten Abweichungen von normalen körperlichen Proportionen, wie z. B. Riese, Zwerg, zweiköpfiger Mensch, Buckliger usw. Dies entspricht Comenius' Überzeugung, dass das Werk Gottes allmählich seine ursprüngliche Vollkommenheit verloren hat.

Mit Kapitel 44 beginnt der Abschnitt, der den Tätigkeiten gewidmet ist, mit denen sich der Mensch ins Leben eingliedert. Es wird die Welt der menschlichen Arbeit gezeigt, die in die Welt der Natur und des Menschen eine dynamische Wende bringt, indem der Mensch mit seiner schöpferischen Tätigkeit die Natur verändert, sich selbst vervollkommnet, bis er wieder zu Gott als höchster Vollkommenheit zurückkehrt. Deshalb beginnt wohl dieser Abschnitt symbolisch mit einem gepflegten Garten. Comenius begründet diesen Einstieg damit, dass Adams erste Arbeit der Gartenbau war. Gleich die folgenden Kapitel stellen Landwirtschaft und Viehzucht dar. Ebenso wie in vielen weiteren Kapiteln fehlt auch bei diesen grundlegenden Tätigkeiten nicht ein gewisser Blick in die Geschichte. Comenius erinnert nämlich, offenbar im Zusammenhang mit bekannten Sagen von den Gründern herrschender Dynastien, die vom Pflug zum Regieren berufen wurden, dass Ackerbau und Viehzucht früher die Arbeit von Helden und Königen waren, während sie gegenwärtig eine Sache des niedrigsten Standes sind. Die folgenden Kapitel betreffen fast alle grundlegenden Tätigkeiten und Gewerbe, mit denen sich der Mensch Nahrung besorgte, Bekleidung und Schuhe erzeugte und seine Wohnstätte baute.

Das Kapitel über die Maschinen zeigt, wie Comenius technischen Fortschritt und Erfindungen verfolgte. Es werden Schritt für Schritt immer anspruchsvollere Arbeiten behandelt, wie Gewinnung und Verarbeitung von Eisenerz, Tischler-, Drechsler-, Töpferarbeiten und schließlich alles, was man zur Hauseinrichtung und zum Wohnen braucht, also auch Brunnenausschachtung sowie Bäder-, Barbier- und Feldscherdienstleistungen.

Der Abschnitt einiger Kapitel, mit Ställen beginnend und mit Schiffbruch endend, scheint zwar auf den ersten Blick etwas heterogen, aber seine innere Bindung ist dadurch gegeben, dass es sich um einen Tätigkeitsbereich handelt, bei dem der Mensch stufenweise Raum- und Zeitbeschränkungen überwindet. Es handelt sich nicht nur um Tätigkeiten selbst, wie Pferdezucht, Herstellung von Fässern, Riemen und Leinen, Pferdereiten, Fährmanndienste und Schwimmen, sondern auch um Ergebnisse dieser Tätigkeiten: Uhren, Ferngläser, optische Gläser, Wagen und verschiedene Schiffsarten. Das letzte Kapitel erinnert daran, dass diese Anstrengungen neben Erfolgen und verschiedenen Vervollkommnungen manchmal auch Misserfolg begleitet – einige Leute werden beim Schiffbruch gerettet, aber andere gehen elend unter und ihre Ware sinkt auf den Meeresgrund.

Thematisch verbunden ist auch der weitere Bereich, der der Mitteilung und Verbreitung von Gedanken gewidmet ist, d.h. der Kunst des Schreibens, dem Buch, dem Druck, der Schule. Dass Comenius zu der Wortkunst auch eine andere Kunst, die Musik, hinzufügte, hing zweifellos mit seiner eigenen hymnographischen Tätigkeit zusammen, dessen Ergebnis das 1659 in Amsterdam herausgegebene Kantional war. Die Philosopie stellt im Orbis die Zusammenfasssung aller Wissenschaften dar; unter ihnen nimmt die Wissenschaft der Zahlen eine bedeutende Stellung ein, weil sie die Voraussetzung für die Erforschung anderer Wissenschaftsbereiche ist. Dann folgen Landvermessung und das Kennenlernen von überirdischen Körpern und Erscheinungen. Einige schematische Zeichnungen verdeutlichen uns zeitgenössische astronomische Erkenntnisse, allerdings vom Standpunkt des geozentrischen Weltbildes (dies wurde von späteren Herausgebern geändert). Mit der Landkarte des damaligen Europas schließt der ganze Komplex der wissenschaftlichen Erkenntnis ab.

Dem Bereich der moralischen Formung des Menschen widmete Comenius den Abschnitt Ethik, in den er sowohl allgemeine Belehrungen über die Ethik als auch den ganzen Komplex menschlicher Tugenden aufnahm: Vorsichtigkeit, Fleiß, Mäßigkeit, Tapferkeit, Geduld, Menschlichkeit, Gerechtigkeit und Freigiebigkeit. Die Ethik enthält auch eine Anweisung, wie der Mensch sich selbst leiten soll.

Der Abschnitt über das gesellschaftliche Leben beginnt mit der Ehe, die sein Grundelement darstellt. Dann folgen weitere Elemente, ihre Leitung und Verwaltung. Aus dem gesellschaftlichen Leben hat Comenius weder Gaukler, Theater und verschiedene Spiele ausgeschlossen. Mit dem Königreich, seiner Verwaltung und militärischen Angelegenheiten schließt der Abschnitt über die weltliche Macht ab. Dann folgt der Abschnitt, der den Menschen zur höchsten Macht führt. Gott nähert sich der Mensch mittels Religionen. Sie werden von Comenius in der Entwicklungslinie vom Heidentum, Judentum zum Christentum und schließlich auch Mohammedanismus angeführt, der als eine Mischung aller vorhergehenden Religionen erklärt wird. Obwohl das Christentum am ausführlichsten behandelt wird, werden auch die anderen Religionen sachlich und ohne jegliche religiöse Intoleranz erörtert. Im vorletzten Kapitel über die Gerechtigkeit Gottes warnt Comenius vor dem Aberglauben, vor Satans Hinterlist und verschiedenen Zauberern, die den Menschen vom richtigen Weg abbringen. Mit dem Jüngsten Gericht, das den Gerechten ewige Seligkeit sichert, schließt das Werk sowie der ganze Zyklus, der von Gott ausging und zu ihm wieder zurückkehrt.

(210)

CIII.

Sphæra cœleſtis. Die Himmelskugel.

Aſtronomia, conſiderat Aſtrorum motûs; *Aſtrologia* eorum effectûs.	Die Sternſehkunſt / betrachtet / der Geſtirne Bewegungen; die Sterndeutkunſt / deren Würkungen.
Cœli globus, volvitur ſuper *Axem* 1 circa globum *Terræ*, 2 ſpacio XXIV horarum.	Die Himmelskugel / drehet ſich an der Axe 1 um die Erdkugel / 2 in XXIV Stunden.
Axem utrinq; finiunt *Stellæ Polares* ſive Poli, *Arcticus* 3 & *Antarcticus*. 4	Die Axe enden beyderſeits die zween Angelſterne / der Nordpol 3 und Süderpol. 4
Cœlum undiq; eſt ſtellatum.	Der Himmel iſt um uñ um geſtirnet. (ſternē]
Stellarum fixarum numerantur plus *mille*; *Siderum* verò	Der Beſtandſternen [Fix- werden gezehlet über tauſend; der Geſtirne aber /
	Septen-

Ukázka z norimberského vydání r. 1658
Probe aus der Nürnberger Herausgabe von 1658
Specimen of the Nuremberg edition of 1658
Выдержка из нюрнбергского издания 1658 г.

Der angeführte Bildungszyklus bedeutet im Grunde genommen eine konkrete didaktische Anwendung Comenius' allgemeiner pansophischer Ideen, die später ihren umfassendesten Ausdruck im Werk „Über die Verbesserung der menschlichen Dinge" gefunden haben. Comenius' ganze didaktische System basiert auf einer festen philosophischen Grundlage. An dieser Stelle ist zu bemerken, dass Comenius bei uns früher oft als herausragender Pädagoge präsentiert wurde und sein Beitrag als Philosoph und Erziehungsphilosoph nicht genügend gewürdigt wurde. Seine Ansichten wurden von der inoffiziellen philosophischen Forschungsrichtung, repräsentiert vor allem durch Professor Patočka und seine Schüler, schöpferisch entwickelt.

Comenius ging als Philosoph von einer von Gott gegebenen Ordnung aus und war überzeugt, dass der Mensch darin seinen Platz hat. Die menschliche Aufgabe des Menschen in dieser Welt ist seine Zusammenarbeit beim Streben nach dem höchsten Ziel. Er betonte die Aktivität des Menschen, seine schöpferische Tätigkeit und seine Fähigkeit sich ständig zu vervollkommnen. Comenius erkannte wie keiner zuvor den hohen Wert der menschlichen Arbeit und der schöpferischen menschlichen Tätigkeit.

Der Weg zu den Benutzern des Werkes

Der Weg des Werkes Orbis pictus zum tschechischen Leser war weder leicht noch schnell. Comenius hatte den lateinischen Text des Werkes schon während seines Aufenthaltes in Ungarn in Sárospatak (1650 – 1654) vorbereitet, wohin er vom ungarischen Adel eingeladen wurde, um bei der Schulreform zu helfen. Aber für die dortige Druckerei war es nicht leicht, die Bilder herzustellen und auch der ungarische Text, parallel zum lateinischen Text, wurde nicht rechtzeitig fertig. Comenius schickte aus Lešno (Lissa) dem Drucker Michael Endter einen Text nach Nürnberg. Dies geschah noch vor dem bekannten Brand, dessen verheerender Wirkung Comenius' übrige Handschriften zum Opfer fielen. Dadurch wurde Orbis gerettet. Endter besorgte zum lateinischen Text die deutsche Übersetzung des Dichters Sigmund von Birken. „Orbis sensualium pictus“ erschien so zum ersten Mal in Nürnberg 1658 als zweisprachige Herausgabe. Wegen großem Erfolg erschien die zweite Auflage bereits 1659, es folgten viele weitere Auflagen, auch eine viersprachige mit Italienisch und Französisch und eine dreisprachige mit Ungarisch. In der deutsch-lateinischen Version verbreitete sich Orbis schnell als Lehrbuch in den norddeutschen und mitteldeutschen Städten.

„Orbis sensualium pictus“ setzte sich bald auch in England durch und erfreute sich schneller Beliebtheit. Bereits 1659 erschien er in London mit einem interessanten Vorwort des Herausgebers Charles Hool, der ihn als Verwirklichung seiner eigenen Idee begrüßte. Bekannt sind auch weitere englische Auflagen. Die 12. Auflage, um die sich William Jones verdient gemacht hat, erschien 1798 in New York. Orbis pictus wurde als ein beliebtes Lehrbuch in Dänemark und Schweden verwendet. Seine Lebenskraft und Wirksamkeit wurde auch dadurch beeinflusst, dass es nach aktuellen Bedürfnissen bearbeitet und erweitert wurde. Seine weltweite Beliebtheit gipfelte in den Jahren 1670 – 1680.

Bei der Verbreitung von Orbis in Polen spielte die Stadt Wroclaw (Breslau) eine große Rolle. Dank dem Herausgeber Kaspar Müller erschien es zum ersten Mal 1667 in lateinischer, französischer, deutscher und polnischer Sprache. Bekannt sind auch zahlreiche spätere dreisprachige Herausgaben mit Polnisch und es gibt auch eine zweisprachige lateinisch-polnische Herausgabe.

Von Endters lateinisch-deutsch-ungarischen Bearbeitung gingen später die Herausgeber in Ungarn und Siebenbürgen aus. Für die Entstehung des tschechischen Orbis-Textes ist die viersprachige Herausgabe vom Jahre 1685 der Druckerei Samuel Brewer in Levoča von Bedeutung.Nach dieser bekannten Herausgabe folgt nach dem lateinischen, deutschen und ungarischen Text noch ein vierter Text, der eine Mischung nicht nur tschechischer und mittelslowakischer sprachlicher Elemente ist, sondern auch einiger ostslowakischer Elemente, die dem Polnischen ähnlich sind, bzw. auch polnischer Elemente. Der besondere Charakter dieses Textes, der eine Vorbereitunsphase der slowakischen Schriftsprache repräsentiert, kann durch die kollektive Arbeit bei seiner Entstehung, durch den Aufenthalt eines Autors, höchstwahrscheinlich Daniel Horčička-Synapius, in verschiedenen Sprachgebieten, teilweise auch durch den Eingriff des Druckers usw. erklärt werden. Der lateinische Titel „Orbis sensualium pictus" ist in dieser Herausgabe als „Die sichtbare Welt" übersetzt. Die Stiche stammen von Jonáš Bubenka. Das Werk wurde 1728 wieder herausgegeben, aber schon mit einem korrigierten Text, der sich dem biblischen Tschechisch nähert. Diese Korrektur von Jiří Bahyla stellt den ersten wirklich tschechischen Text dar.

Die erste russische Orbis-Übersetzung wurde unter der Regierung Peters des Großen erstellt. Sie sollte einer höheren Moskauer Schule dienen, blieb aber als Handschrift und wird in der St.Petersburger Bibliothek der Akademie der Wissenschaften aufbewahrt. Die erste erhaltene Herausgabe von Orbis mit russischem Text erschien 1760 in fünfsprachiger Form unter dem Titel Vidimyj svět. Es handelte sich um die erste verlegerische Tätigkeit der neu gegründeten Moskauer Universität aus Anregung von M. V. Lomonosov.

Die Verwendung von Orbis war lange Zeit in Österreich unmöglich. Erst der piaristische Pädagoge P. Gracian Marx hat sich um seine Herausgabe 1756 und seine Benutzung als Gymnasiallehrbuch verdient gemacht. Es handelte sich um eine Auswahl von 82 Kapiteln aus der ursprünglichen Nürnberger Herausgabe. Erlaubt wurde auch eine Version mit tschechischem Text, aber der erschien nur einmal, und zwar 1779. Von der Marx' Auswahl gingen auch weitere Bearbeitungen aus. Für Tschechisch ist die Herausgabe des Gymnasialprofessors in Sárospatak Jan Szombathy von Bedeutung, der zum lateinischen und deutschen Text noch den ungarischen hinzufügte und in den Herausgaben von 1798, 1806 und 1820 auch den tschechischen. Die Tradition von Orbis blieb in Ungarn und Siebenbürgen noch weit bis ins 19. Jahrhundert erhalten.

Neben den Vermittlungswegen über Ungarn und Wien hat sich für Orbis ein dritter Weg nach Böhmen als besonders bedeutend gezeigt, und zwar der aus dem polnischen Wroclaw. Der dortige Verleger stand in Kontakt mit den deutschen Endters. Nachdem die Endters an der Herausgabe von Orbis das Interesse verloren hatten, verkauften sie die Stiche mit der zweiten Garnitur der Druckstöcke an den Drucker Wilhelm Bog. Korn. Dieser gab den viersprachigen lateinisch-französisch-deutsch-polnischen Orbis 1805 und 1818 heraus. In der Zeit der nationalen Wiedergeburt kam die zweite Herausgabe dieses Orbis dem Gymnasialprofessor Josef Chmel in Hradec Králové in die Hände. Die Idee, Comenius' Werk dem tschechischen Leser zugänglich zu machen, hat Chmel so gefesselt, dass er selbst eine neue Übersetzung ins Tschechische erstellte und für ihre Herausgabe den Verleger Jan Hostivín Pospíšil gewann. Sie kauften von dem Wroclawer Verleger die Druckstöcke und so erschien 1833 in Hradec Králové eine neue lateinisch-deutsch-tschechisch-polnisch-französische Herausgabe. Dank überlegter Anstrengungen des Verlegers sowie des Herausgebers, die zahlreiche Abonnenten gewannen, gelangte Orbis pictus endlich zur breiten tschechischen Leseröffentlichkeit. In vier Monaten wurden 5 300 Exemplare verkauft. Pospíšils gaben Orbis auch später heraus, in Hradec Králové und in Prag, jedoch bereits ohne Polnisch.

Die Lebenskraft von Orbis war groß, er fand den Weg auch in die Fachschulen und zwar als tschechisch-deutsches Konversationshandbuch. Unter dem Titel „Orbis pictus" in tschechischer und deutscher Sprache erschien er in der Bearbeitung von František Patočka, Professor am Realgymnasium in Tábor. Die Bilder erstellte Jan Kostěnec,

Professor an Realschulen in Pardubice. Er wurde von L. Kober 1870 in Prag herausgegeben. Die Bearbeitung von Professor Patočka ist relativ bedeutend, es handelt sich dabei besonders um die Ergänzung der Partien über Wirtschaftsmaschinen, Eisenbahn, Fabrik usw. Dies alles zeigt den praktischen und aktuellen Nutzen des Handbuches: *„...damit die Schüler Kenntnisse aus dem Bereich Wirtschaft und Industrie erwerben und sich die hier verwendeten tschechischen Bezeichnungen richtig aneignen und zweitens, damit sie auf der Grundlage dieser Kenntnisse auch diese Bezeichnungen in deutscher Sprache lernen.“* Bilder sind nur dort, wo es für das Verständnis des Textes notwendig ist.

„Orbis pictus“ ist ein interessanter Nachweis lebendiger Kontakte mit der südslawischen Kultur. Er wurde von J. Beneš in Český Brod als ein neues mehrsprachiges Werk mit dem Titel „Свет у сликама“ in serbischer, tschechischer, deutscher und französischer Sprache herausgegeben. Die Herausgabe ist nicht datiert und ist ohne Latein. Ihre Aufgabe erklärte der Übersetzer ins Serbische Jovan M. Popovič im Einleitungsbrief. Es ging ihm darum, dass die Serben mittels Orbis leicht Tschechisch und die Tschechen Serbisch lernen. Deshalb war auch am Ende eine Belehrung über die Aussprache und die Betonung im Tschechischen hinzugefügt. Die Einleitung ist auf das Jahr 1913 datiert. Die bereits 1914 fertige Ausgabe wurde jedoch im ersten Weltkrieg konfisziert. Zu ihrem Nachdruck und zur Lieferung nach Serbien kam es erst nach dem Krieg. Mit dieser Form von Orbis, die zum Kennenlernen und zur praktischen Aneignung zweier slawischer Sprachen dienen sollte, endet bei uns die Verwendung von Orbis als Sprachlehrbuch. In späteren Editionen geht es bereits um seine Herausgabe als Kulturdenkmal oder Quelle für wissenschaftliche Arbeit.

1929 erschien in Brünn „Orbis pictus“ als 10. Band der großen Edition Gesamte Schriften von Jan Amos Comenius. Es war eine kritische Herausgabe, die Hertvík Jarník mit einer umfangreichen Studie über die äußere Geschichte des Werkes vorbereitete.

Im Hinblick auf das Vorhaben von Comenius, dass Orbis in der Grundschule als Lesebuch und Elementarlehrbuch dienen sollte, war den Liebhabern von Kulturdenkmälern die tschechische einsprachige Herausgabe von Orbis aus dem Jahre 1941 bestimmt. Sie sollte nicht nur das Andenken an Comenius anlässlich seines 270. Todestages in Erinnerung bringen und es ehren, sondern auch das Werk der Persönlichkeiten der nationalen Wiedergeburt Josef Chmel und Jan Hostivít Pospíšil. Der tschechische Text wurde nach Chmels Übersetzung von Fr. Oberpfalcer vorbereitet und teilweise modernisiert. Mit der Einleitung von J. Hendrich wurde er von Fr. Borový in Prag herausgegeben. Dank der graphischen Gestaltung von F. Muzika und der gelungenen Nutzung der alten Druckstöcke, die J. H. Pospíšil in Wroclaw abkaufte, entstand so in Werk, das unsere nationale Kultur würdig repräsentierte und das Nationalbewusstsein in der Zeit der Okkupation stärkte.

Relativ stark verbreitet war bei uns auch die Jubiläumsausgabe zum 350. Geburtstag von Comenius. Sie wurde im Jahre 1942 von Fr. Strnad in Královské Vinohrady (Königliche Weinberge) als 8. Band der Buchreihe „Růžový palouček“ (Der Rosenhügel) unter der Redaktion von Antonín Dolenský mit einem lateinischen, deutschen und tschechischen Text herausgegeben, wobei das Kapitel über die jüdische Religion ausgelassen wurde.

Die Jubiläumsausgabe des Staatlichen Pädagogischen Verlages in Prag, die 1958 als erste und 1979 als zweite unveränderte Auflage erschien, ist ein fotolitographischer Nachdruck der viersprachigen Herausgabe von Levoča aus dem Jahre 1685. Sein bedeutender Bestandteil ist das fundierte Nachwort von Jiřina Popelová.

Im Verlag der Tschechoslowakischen Akademie der Wissenschaften ist 1970 ein zweisprachiger „Orbis sensualium pictus“ als Teil 17 der großen wissenschaftlichen Herausgabe des Werkes von Jan Amos Comenius erschienen („J. A. Comenii Opera omnia“). Diese kritische Ausgabe ist der Verdienst der Herausgeber Jaromír Červenka (lateinischer Text) und Stanislav Králík (deutscher Text), die von den Nürnberger Ausgaben von 1659 und 1662 ausgingen. Das Nachwort zu dieser Ausgabe schrieb Marta Bečková.

Die vorliegende nichttraditionelle Auswahl aus Comenius' Werk „Orbis sensualium pictus“ will ein lebendiges Vermächtnis des Autors sein. Deshalb betrifft sie vor allem die Welt der menschlichen Tätigkeiten. Das bedeutet, dass aus dem Werk vor allem die Tätigkeiten ausgewählt werden, die die einzelnen Tätigkeiten des Menschen am deutlichsten zeigen bzw. ihre materiellen und geistigen Resultate. Es geht uns vor allem darum, die Dynamik von Orbis zu zeigen sowie die Knappheit und Prägnanz, mit der Comenius das für die einzelnen Tätigkeiten Wesentliche zu erfassen vermochte. Während der erste Teil von Orbis durch die infolge der Entwicklung der menschlichen Erkenntnis verursachten Veränderungen an seiner Aktualität einbüßte, wirken die Kapitel über die Welt der menschlichen Arbeit frisch als interessante Dokumente der Lebensweise und menschlicher Bemühungen zu Lebzeiten des Autors bzw. noch älterer Zeiten.

Naděžda Kvítková

Literatur

- ČAPKOVÁ, D.: Dílo Komenského a myšlení 17. stol. (Das Werk von Comenius und das Denken im 17. Jh.) Filozofický časopis, Jg. XXXV, Nr. 6, S. 941-949.
- ČAPKOVÁ, D.: Některé základní principy pedagogického myšlení Komenského (Einige Grundprinzipien des pädagogischen Denkens von Comenius). Rozpravy ČSAV (XXXVII), Prag 1977.
- ČAPKOVÁ, D.: Vzdělávání malých dětí v pojetí univerzálního celoživotního vzdělávání v díle J. A. Komenského (Ausbildung kleiner Kinder in der Auffassung universaler lebenslanger Bildung im Werk von J. A. Comenius). Praha Univerzita 17. listopadu 1971.
- FLOSS, P.: J. A. Komenský a vědy o přírodě a člověku (J. A. Comenius und Wissenschaften über die Natur und den Menschen). Pädagogisches Bezirksinstitut Olmütz 1983.
- HÁDEK, K: Komunikativní vztahy jako integrační hledisko při klasifikaci jazykových jevů (Kommunikative Beziehungen als Interprätationsgesichtspunkt bei der Klassifikation sprachlicher Phänomina). In AUPO, Philologica 55, 1987, S. 91 – 95.
- JARNÍK, H: Předmluva k vydání 10. sv. Veškerých spisů Jana Amose Komenského (Vorwort zur Herausgabe des 10. Bandes Gesamter Schriften von Jan Amos Comenius). Brünn 1929.
- PATOČKA, J.: Filozofické základy Komenského pedagogiky (Philosophische Grundlagen der Pädagogik von Comenius). In: Komeniologické studie I. Praha: OIKOYMENH 1997, S. 164 – 231.
- 0tázky současné komeniologie (Fragen der gegenwärtigen Komeniologie). Prag Academia 1981.
- POPELOVÁ, J.: Epilog In: Orbis sensualium pictus. SPN Prag 1979.
- ŠKARKA, A.: Jan Ámos Komenský. In: Dějiny české literatury I. Starší česká literatura (Geschichte der tschechischen Literatur I. Ältere tschechische Literatur). Prag 1959, S. 412 – 454.
- VESELÝ, J.: Komenský jako předchůdce současné teorie vyučování jazykům (Comenius als Vorgänger

der gegenwärtigen Theorie des Fremdsprachenlehrens). In: Jan Amos Komenský. Příspěvky z komeniologické konference pořádané Pedagogickou fakultou v Hradci Králové ve dnech 8. – 11. října 1970 (Beiträge der komeniologischen Konferenz an der Pädagogischen Fakultät in Hradec Králové, veranstaltet vom 8. bis 11. Oktober 1970), SPN Prag 1972, S. 51 – 54.

- Vybrané spisy Jana Amose Komenského. Svazek IV. Výbor z obecné porady o nápravě věcí lidských a z věcného pansofického slovníku (Ausgewählte Schriften von Jan Amos Comenius. Band IV. Auswahl aus der allgemeinen Beratung über die Verbesserung der menschlichen Dinge und aus dem Sachregister des pansophischen Wörterbuches). SPN Prag 1966 (Einleitung von J. Červenka S. 16 – 53)

Editionsanmerkungen

Die Auswahl aus dem Werk „Orbis sensualium pictus“, thematisch die Welt der menschlichen Tätigkeiten betreffend – insgesamt 60 Kapitel – erschien 1991 als erste Ausgabe im Verlag Trizonia.

Sie wurde noch vor 1989 vorbereitet und zwar ursprünglich für den Staatlichen Pädagogischen Verlag, mit der Absicht, sie im Fremdsprachenunterricht als Ergänzungstext einzusetzen. Für Latein bestand damals begreiflicherweise kein Interesse und deshalb wurde die Auswahl nur in vier lebendigen Sprachen vorbereitet, d.h. in Tschechisch, Deutsch, Englisch und Russisch. Der redaktionell bearbeitete Text hatte jedoch in der Zeit organisatorischer Veränderungen keine Aussicht auf eine baldige Veröffentlichung, so dass er einem privaten Verleger überlassen wurde.

Die neue und erweiterte Herausgabe im Verlag Machart wurde um den ursprünglichen lateinischen Text von J. A. Comenius aus der Nürnberger Herausgabe ergänzt, der in kritischer Edition im Jahre 1970 im Verlag ACADEMIA erschien. Weiter wurden Kapitel hinzugefügt, die die ideellen Ausgangspunkte ihres Autors charakterisieren (Gott, Welt, Sinne, Tugenden und Religion). Völlig neu ist auch die graphische Gestaltung.

Der lateinische Text ist als Ausgangstext selbstständig den betreffenden Bildern angeführt. Die Übertragungen in lebendige Sprachen verfolgten das Ziel, dem heutigen Sprachgebrauch zu entsprechen.

Deshalb unterscheidet sich der tschechische Text vor allem in der Wortfolge verhältnismäßig oft von der ursprünglichen lateinischen Vorlage sowie von älteren tschechischen Übersetzungen. Ein wenig eingeschränkt ist im Vergleich zum Latein die Verwendung sog. unechter Relativsätze sowie Partizipialkonstruktionen. Zur größeren Verdeutlichung der Bedeutung musste z. B. manchmal das Subjekt wiederholt werden oder anstatt mit Pronomen mit Substantiv ausgedrückt werden. Vereinzelt musste eine Textkürzung vorgenommen werden, falls es vom Standpunkt des heutigen Lesers zweckmäßig war.

Zu der tschechischen Grundversion wurden auch ihre Übersetzungen in gegenwärtige lebendige Sprachen hinzugefügt. Weil das Verhältnis der gegenwärtigen Sprachen zueinander anders ist, als es in der Entstehungszeit von Orbis zum Lateinischen war, das ein gewisses Ideal und Vorbild dargestellte, erschien es jetzt zweckmäßiger, in jeder Sprache den ganzen Text ohne frühere Gliederung zusammenhängend abzudrucken.

Obwohl die Auswahl heute im Fremdsprachenunterricht nicht mehr als Grundlagenlehrbuch dienen wird, würde uns freuen, wenn sie als Vertiefungstexte Anwendung finden würde, die unsere Sicht darauf erweitern, was sich im Laufe von dreieinhalb Jahrhunderten in der Erkenntnis der Welt und ihrer Versprachlichung verändert hat.

Der Bildteil unseres Orbis will an drei verschiedene Herausgaben erinnern. Die größeren Bilder basieren auf den alten Druckstöcken, die in den Herausgaben von J. H. Pospíšil und Jar. Pospíšil verwendet wurden und als Bestandteil der einsprachigen tschechischen Herausgabe gedient haben. Die kleineren Bilder nebeneinander sind der Nürnberger und Levočaer Herausgabe entnommen. Der Unterschied besteht jedoch darin, dass es sich früher beim Drucken um eine direkte Nutzung der Stöcke handelte, während es heute um ihre fotografische Übertragung geht, deren Form dem neuen Format der Publikation entspricht.

Comenius Orbis sensualium pictus

A language textbook

In Comenius' time Latin was a language of international culture and a means opening the way to higher education. J. A. Comenius was looking for a way of learning that language more quickly so that more time might be left for objective education. Comenius' teaching experience, his experience with the then text-books and their critical assessment led him to the conclusion that a useful textbook of a language could furnish a learner with the command of the language as well as the information concerning the real world. He therefore chose about 7 300 most important words and using them formed one thousand sentences which he compiled into one hundred lessons. That is why Ianua linguarum reserata appeared in Leszno in 1631, originally with a Latin text only. But Comenius conceived the mother tongue to be the mediating language. The Polish translation soon appeared and Comenius himself provided the Czech version under the title The open gate to languages.

Although Ianua was considerably successful in the world, it was too exacting, thus too difficult for beginners. Therefore Comenius produced a textbook that was substantially more moderate and gave it a peculiar name Ianuae linguarum reserate vestibulum (The vestibule of the gate open to languages).

Comenius' Orbis sensualium pictus can be considered an attainment of the top of work on his language textbooks. This most successful and best known work is a shortened text of Ianua and it was intended as a preparation for work with both Vestibulum and Ianua.

The commonly used name of this famous work, Orbis pictus, is an abbreviated title lacking in the author's intention an important addition that it is the world of sensually comprehended or sensually perceived objects and phenomena that is to be presented. Comenius explained this intention clearly and expressly in his foreword to that work. *"The main thing is for sensual objects to be rightly presented to the senses first in order that they may be made comprehensible... One can neither act nor speak wisely unless one understands rightly all that one is to do or speak about. Now, there is nothing in our understanding that has not been in our senses. Exercising our senses in correct perception of differences between things means laying the foundations for all wisdom, all wise discourse and all wise acts in life".* Comenius thus attempted to link every expression that man gains by learning with perception and understanding the object or phenomenon given by its denomination. He therefore stressed the part of hearing, sight, taste and touch in teaching languages and demanded that the pupil could show in both a picture and in reality what he had named and could also draw.

Orbis sensualium pictus is thus the most consistent application of Comenius didactic views to teaching languages. Orbis originality consists in the fact that each chapter is introduced by a picture relating to the theme that is dealt with, and the texts and illustrations of the individual objects and phenomena are interrelated with the help of numerical references.

A remarcable relationship to the mother tongue can also be traced in Orbis. As Comenius wrote in the foreword, Orbis translated into a modern language could also lead to mastering the mother tongue from the initial reading ability to objective learning. In order that the initial learning phase of reading may be simplified, Comenius started the book with the so-called live and vocal alphabet. He himself also explained how to proceed in order that learning might get rid of the "troubling worries of the mind". He also thought of the possibility of adding a short course of grammar of the mother tongue at the end.

The translation of Orbis pictus into the mother tongue was intended to serve both the more visually aided cognition and the mastering of Latin. Comenius also anticipated a more useful application of Orbis pictus in the pre-school age and an illustrating book for the child to page through and thus to acquaint it with the world.

Orbis pictus as a reflection of Comenius' philosophic views

Orbis sensualium pictus is not only the culmination of the didactic efforts of the author, it also represents an important part of his pansophic striving. It is thus also a reflection of his philosophical views. Comenius always strove for education to be full and coherent. Therefore he also conceived that language textbook as a sensually accessible encyclopedia and he even considered first naming it Encyclopedia sensualium or also lucidarium. The title of Orbis sensualium pictus was thus added later in order to be more comprehensible to the children thanks to its imagery.

It must however be added that for Comenius the notion of encyclopedia had the content a bit different from how we understand it today, when the schools are blamed for the so-called undesirable encyclopedism and overloading with factographic knowledge, the disproportional stages of education and also the mechanically handled sets of knowledge without the context considered. The words encyclopedia and encyclopedic were understood by Comenius as an educational system in a closed circle, in which all the phenomena are interlinked in a single organic whole. He was thus concerned with systemic education.

Úprava pro školy z r. 1870 / Bearbeitung für Schulen aus dem Jahre 1870 / The representation for schools from 1870 / Издание для школ 1870 г.

How that interrelation looked like is best shown in how Orbis' individual chapters are arranged. In accordance with his philosophic views Comenius devoted the first chapter to a discourse on God, His substance and His attributes. He concludes the chapter by presenting God as the creator, ruler and maintainer of the world. In the following six chapters he describes the world as a whole: the heavens, the elements, the clouds and the earth. The following is a section on "the produce of the Earth", which includes mountains and rocks as lifeless nature, and plants, ground and water animals as live nature. That section closes with the chapter on man as the highest creature of live nature. In the section on man Comenius then shows man in his seven evolutionary steps. He describes the human body and the body organs. A special chapter is dedicated to outer an inner senses. Five outer senses are depicted with the help of an eye, ear, the tongue and the hands. As the inner non-depictable senses are cited the social sense, thinking and memory. The section on man closes with the discourse on man as an individual and the most perfect God's work. It is certainly not by chance that a chapter was also included showing deformed persons with striking differences from normal body proportions as a giant, a dwarf, a double-headed man and a hunchback etc. This corresponds to Comenius' conviction that God's work had gradually lost its original perfection.

Chapter 44 begins with the section on the activities that engage man in life. It deals with human labour, which brings into the world of nature and man a dynamic reversal in which man's creative activity changes nature, perfections man himself and thus reaching again God as the highest perfection.

This may be the cause why the section begins with a symbolically cultivated garden. Comenius justifies this fact by pointing out that gardening was Adam's first work. The immediately following chapters deal with agriculture and breeding cattle. As in a number of the following chapters these basic activities are supplied with a certain historical view. Comenius thus reminds us apparently of the well-known legends about founders of reigning dynasties who had been called on to leave the plough and take up reign, that cultivation of land and cattle breeding used to be the work of heroes and kings, whereas this time these activities are the concern of the lowest estates. The following chapters concern all the fundamental activities and trades that man uses to get food, to produce clothing and boots and to construct housing facilities. The chapter on machines shows how Comenius was interested in technical improvements and inventions. Gradually the more exacting types of work are considered, e.g. mining and processing of iron ore, cabinet making, turnery, pottery and all that is needed to equip a house and to live in it, including the deepening of wells as well as bathhouse services, barber and barber-surgeon services.

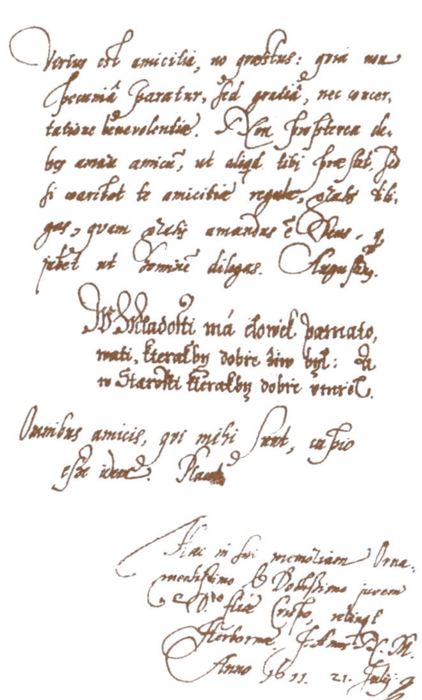

Ukázka Komenského rukopisu / Probe von Comenius' Handschrift / A specimen of Comenius' manuscript / Выдержка из рукописи Коменского

The section of a number of chapters beginning with the stables and ending with the shipwrecked bark seems at first sight to be incongruous, but the internal relationship is given by the sphere of activities used by man to gradually overcome the limits given by space and time. Not only the activities themselves are considered, as e.g. the care of horses, the production of barrels, straps and ropes, horse riding, ferry transport, swimming, and also the results of these activities: a clock, a telescope, optical glasses, waggons and various types of ships. The last chapter of the section reminds us that beside success and various improvements this effort is sometimes linked with failure – in case of the bark's shipwreck some people are saved but others die and end miserably and their goods and chattels sink to the bottom of the sea.

The following section is also thematically interconnected. It deals with communication and spreading thoughts concerning e.g. the art of writing, books, printing houses, schools. The fact that Comenius added music to verbal art as another artistic manifestation was undoubtedly linked with his own hymnographic activity, which resulted in the Hymn book edited in the year 1659 in Amsterdam. In Orbis pictus philosophy is a summary of all the sciences in which the science of numbers holds a significant position because it is the precondition for research into other spheres of science. Then follows geodesy and the study of extraterrestrial bodies and phenomena. Some schematic drawings approach the contemporary astronomical knowledge, but from the geocentric aspect of course (which used to be corrected by the later editors). The whole set concerning scientific knowledge closes with the then obtaining map of Europe.

Comenius included the moral formation of man into the section on ethics, into which he added the general information on morality as well as the whole set of human virtues: caution, diligence, restraint, bravery, patience, humanity, righteousness and generosity. Ethics thus includes the directions for man on how to control himself.

The section concerning social life begins with marriage, which is its fundamental part. Then follow the higher parts, their operation and administration. Neither did Comenius exclude jugglers, theatre and various plays from the life of the society. The part concerning the secular rule closes with kingdom, its administration and military matters. Than follows the section leading man to the highest authority. Man approaches God through religions, which Comenius names in an evolutionary line from Paganism, Judaism to Christianity, and in the end even to Mohamedanism, which is presented as a mixture of all the religions mentioned before. Christianity is dealt with in the most detailed manner. For the other religions the matter-of-factness is symptomatic: void of any manifestations of religious intolerance. In the last but one chapter on God's justice Comenius warns against superstitions, Satan's intrigues and varicus sorcerers, who may put humans on the wrong path. The work concludes with the Last Judgement, which secures eternal bliss for the righteous. And this is the end of the whole cycle that starts with God and again returns to Him.

The educational cycle cited is in its substance a concrete didactic application of Comenius' general pansophic ideas, which later on found their most comprehensive expression in the author's work On the remedy of matters human. Comenius' whole didactic system proceeds from a firm philosophic foundation. Mention should here be made of the fact that with us Comenius formerly used to be presented as an outstanding pedagogue and his contribution as a philosopher and philosopher of education did not use to be fully appraised. His views were being creatively developed by the Czech unofficial branch of philosophic research represented above all by Professor Jan Patočka and his students.

Comenius as a philosopher based his views on the God-given order and he was convinced that man had his place in that order.

Man's mission in this world is his cooperation in the direction towards the highest end. Comenius laid stress on man's activity, his creative ability of selfimprovement. Like none before him he realized that human labor and human creative activity were of a high value.

The way to the users of the work

The way of Comenius' work to the reader was in no way easy or swift. Comenius had his Latin text of the work ready as early as during his stay in Hungary in Sarospatak (1650–1654), where he had been invited by the Hungarian nobility to help with the educational reform. For the Hungarian printing houses there it was not easy to produce the pictures, and the Hungarian text parallel to the Latin text was not ready in time either. Comenius then sent the Leszno text to Michael Endter, a printer in Nuremberg. That happened before the well-known fire that destroyed all the other Comenius' manuscripts. This is how Orbis pictus was saved. Endter fitted the Latin text with a German translation by Sigismond von Birken. Orbis sensualium pictus thus appeared for the first time in Nuremberg in two languages in 1650. Thanks to the success of the work its second edition appeared as soon as 1659 and a number of further editions followed, also in four languages with Italian and French translations, and in three languages with a Hungarian translation. In its Latin and German version Orbis pictus spread quickly as a textbook in the towns of Northern and Central Germany. Orbis sensualium pictus also found quickly its way to England and there it quickly became highly favoured. As early as 1659 Orbis pictus was edited in London with a very interesting preface by Charles Hoole, who welcomed it as the realization of his own thoughts. Other English translations are also well-known. The twelfth edition, which appeared thanks to William Jones, was printed in 1798 in New York. Orbis pictus became a much used and popular textbook in Denmark and Sweden. Its long life and effectiveness were also due to its being adopted and enlarged according to the actual needs. Its worldwide popularity culminated in the years 1670–1680.

Úprava pro školy z r. 1870 / Bearbeitung für Schulen aus dem Jahre 1870 / The arrangement for schools from 1870 / Издание для школ 1870 г.

The spread of Orbis pictus in Poland was mainly due to the town Wroclaw. Thanks to the care of Kaspar Müller it appeared first in the year 1667 in Latin, French, German and Polish translations. Many editions in three languages, including Polish, appeared later and there also existed an edition in two languages, in Latin and Polish. The editors in Hungary and Transylvania based their later activity on Endter's Latin, German and Hungarian versions. The Orbis' Czech text was based on the edition in four languages from the year 1685 printed by Samuel Brewer's printing house in Levoča. In that well-known edition the Latin, German and Hungarian texts are followed by a fourth text, which is a mixture of not only Czech and Central Slovak linguistic elements, but also a number of Eastern Slovak elements similar to Polish, and even the Polish elements themselves. The peculiar character of this text representing the preparatory phase of literary Slovak can be due to the collective work on its genesis, the stay of one of the authors, most probably Daniel Horčička-Sinapius, in various lingual regions, and partly also due to the intervention by the typesetter etc. In that edition the Latin title of Orbis sensualium pictus was translated as The visible world. The engravings were made by Jonáš Bubenka. The work was then again edited in 1728, but with the text corrected in the direction towards scriptural Czech. That correction by Jiří Bahyl represents the first actual Czech text.

The first Russian translation of Orbis pictus appeared during the reign of Peter the Great. It was intended to serve the Moscow College but it remained in manuscript and is deposited in Peterburg library of the Academy of Sciences. The first well-preserved edition of Orbis pictus with a Russian text appeared in the year 1760 in five languages under the title of Видимый светъ, That was the first editorial act of the newly-founded Moscow University at M. V. Lomonosov's instance.

Ilustrace z vydání v Norimberku r. 1658
Illustration aus der Nürnberger Herausgabe von 1658
Illustration from the Nuremberg edition 1658
Иллюстрации из издания в Нюрнберге 1658 г.

The assertion of Orbis in Austria was impossible for a long time. It was P. Gracian Marx, a piaristic pedagogue, who finally deserved credit for the edition of the work in 1756 as well as for its usage as a grammar school textbook. The text contained 82 chapters of the original Nuremberg edition. A Czech version was also sanctioned, which appeared only once in the year 1779. Other versions were based on Marx's selection. As far as the Czech language is concerned the importance rests with the edition by Jan Szombathy, teacher at the grammar school in Sarospatak, who added the Hungarian text to the Latin and German texts in the 1793 and 1806 editions, and also a Czech text in the 1820 edition. In Hungary and Transylvania Orbis' tradition lasted as long as till the nineteenth century.

Beside the ways medicated via Hungary and Vienna the particular importance rested with Orbis' third way to Bohemia – from the Polish Wroclaw. There the publisher was in contact with the German Endters. When the Endters ceased to be interested in editing Orbis, they sold the engravings with the second set of printing blocks to printer Wilhelm Bog. Korn, who edited Orbis in Latin, French, German and Polish languages in 1805 and 1818. In the time of the National Revival the second edition got into the hands of Josef Chmel, a grammar school teacher in Hradec Králové. The idea of giving the Czech reader Comenius' work gripped Chmel so that he himself produced a new Czech translation and persuaded Jan Hostivít Pospíšil, a publisher, to edit it. They bought the printing blocks from the Wroclaw based printer and thus a new edition in Latin, German, Czech, Polish and French was published in Hradec Králové in the year 1833. Thanks to the deliberate effort of both the editor and the publisher, who succeeded in winning a considerable number of subscribers, Orbis sensualium pictus spread finally even into a wider Czech reading public. In four months 5 300 copies were sold. The Pospíšils continued editing Orbis even later in Hradec Králové and in Prague although without the Polish translation.

Orbis' vitality was immense. It even found its way to technical and commercial colleges as a Czech and German conversation textbook. Under the name of Orbis pictus the work was edited in Czech and German translations by František Patočka, a grammar school teacher in Tábor. The pictures were provided by Jan Koštěnec, a teacher at technical schools in Pardubice, and the whole work was edited by L. Kober in Prague in the year 1870. Patočka's version was relatively very largely adapted, particularly as far as the parts on agricultural machines, railway, factory etc. are concerned. All this points to the practical and up-to-date usage of the handbook: *"... in oder that the students may get knowledge in the branches of farming, industry, as well as to learn correctly the Czech names existing there, and secondly to learn those names in German on the basis of that knowledge."* Pictures are only where they are indispensable to understanding the text.

Orbis pictus is an interesting document of active contacts with South Slavonic culture. It was edited by J. Beneš in Český Brod as a new polyglot under the title of Свет у сликама in Serbian, Czech, German and French languages. The edition had no date and it had no Latin text. Its main purpose was explained by the translator into Serbian, Jovan M. Popovic, in his introductory letter. He explained that it was his aim for the Serbs to easily learn Czech and for the Czechs to learn Serbian. That was also why the work was edited with instructions on pronunciation and accentuation of the Czech language. The introduction is dated 1913. The edition that was ready as early as in 1914 was however confiscated during the First World War. Its reprint and delivery to Serbia were effected as late as after the war. This version of Orbis, which should have served the cognizance and practical mastering of two Slavonic languages, is an end of our using Orbis as a language textbook. The following editions are thus only monuments of culture or sources of scientific work.

In 1929 Orbis pictus appeared in Brno end the tenth volume of Jan Amos Comenius' complete works. That was a critical edition prepared by Hertvík Jarník with a comprehensive study of the external history of the work.

Referring to Comenius' intention of Orbis serving the primary schools as a reader and a textbook of elementary teaching the lovers of cultural monuments were expected to use Orbis' single-lingual Czech edition from the year 1941. It was to have been an act of commemoration of and reverence for J. A. Comenius on the occasion of the 270th anniversary of his death, as well for the work of the Revivalists Josef Chmela and Jan Hostivít Pospíšil. The Czech text based on Chmela's translation was prepared and partly modernized by František Oberpfalcer. It was edited with J. Hendrich's introduction by František Borový in Prague.

Thanks to the graphical layout by F. Muzika as well as the successful usage of old blocks, which J. H. Pospíšil had bought in Wroclaw, the book thus resulted in a work respectably representing our national culture and strengthening the national self-confidence in the time of the occupation of the country.

The jubilee readers' edition celebrating the 350th anniversary of Comenius' death was relatively much spread in this country. It was edited by František Strnad in Prague, King's Vineyards, as the eighth volumme of the library named Rosy Green with Latin, German and Czech texts and with the chapter on the Jewish religion excluded, under the editorial supervision by Antonín Dolanský.

The photolithographic four-lingual reprint of the Levoča edition from 1685 is the jubilee edition of the State Pedagogic Publishing House in Prague, which appeared in 1958 as the first, and in 1979 as the second unaltered edition. Its important part is the postscript by the expert Jiřina Popelová.

A two-lingual Latin and German Orbis sensualium pictus was edited by the publishing house of the Czechoslovak Academy of Sciences in 1970 as the seventeenth part of the great scientific edition of the Works of Jan Amos Komenský (J. A. Comenii Opera omnia). That critical edition appeared thanks to Jaromír Červenka (the Latin text) and Stanislav Králík (the German text), who based their work on the Nuremberg editions from the years 1659 and 1662. The afterword was written by Marta Bečková.

The non-traditional anthology of Comenius' Orbis sensualium pictus presented is intended to be the author's live legacy. That is also why it concerns predominantly the world of human activities. This means that the parts of the work were selected which show most expressly man's individual activities and their results, material and spiritual. It is our aim to show Orbis' dynamism as well as how Comenius was able to grasp what was fundamental for the individual activities. Whereas Orbis' first part suffered as far as its topicality is concerned, due to the progress in human knowledge, the chapters showing the world of human labour have a vivid effect as interesting documents of the way of life and human effort at the time when their author lived, or even in the times that are much older.

Naděžda Kvítková

Literature

- ČAPKOVÁ D.: Dílo Komenského a myšlení 17. století. Filosofický časopis, roč. XXXV, č. 6, 941–949 (Comenius' work and the thinking of the 17th century. Philosophical Journal, year XXXV, No. 6, pages 941–949)
- ČAPKOVÁ D.: Některé základní principy pedagogického myšlení Komenského. Rozpravy ČSAV (XXXVII), Praha 1977 (Some fundamental principles of Comenius' pedagogic thinking. Discussions of Czechoslovak Academy of Science (XXXVII), Prague 1977)
- ČAPKOVÁ D.: Vzdělávaní malých dětí v pojetí univerzálního celoživotního vzdělávání v díle J. A. Komenského. Praha/Univerzita 17. listopadu 1971 (The education of little children under the concept of universal lifetime education in Comenius' work. Prague, University of 17th November, 1971)
- FLOSS P.: J. A. Komenský a vědy o přírodě a člověku. Krajský pedagogický ústav Olomouc 1953. (J. A. Comenius on the science of nature and man. Regional pedagogical institute, Olomouc 1983).
- HÁDEK K. : Komunikativní vztahy jako interpretační hledisko při klasifikaci jazykových jevů. In AUPO, Philologies 55, 1987, s. 91–95 (Communicative relations as the interpretative view in the classification of linguistic data. In AUPO, Philologica 55, 1987. pages 91–95)
- JARNÍK H.: Předmluva k vydání 10. sv. Veškerých spisů Jana Amose Komenského. Brno 1929 (Foreword to the tenth volume of Collected Comenius' writings. Brno 1929)
- PATOČKA J.: Filosofické základy Komenského pedagogiky. In: Komeniologické studie I, Praha, OIKOYMENH 1997, s. 164-231 (Philosophical foundations of Cormenius' pedagogy. In: Comeniological studies I, Prague, OIKOYMENH 1997, pages 164–231)
- Otázky současné komeniologie. Praha, Academia 1939 (Problems of contemporary Comeniology, Prague, Academia 1981)
- POPELOVÁ J.: Epilog. In: Orbis sensualium pictus. SPN Praha 1979 (Epilogue. In: Orbis sensualium pictus. SPN Prague 1979)
- ŠKARKA A.: Jan Ámos Komenský. In: Dějiny české literatury I. Starší česká literatura. Praha 1259 / s. 412-454 (Jan Ámos Comenius. In: History of Czech literature I. Older Czech literature. Prague 1959, pages 412–454)

- VESELÝ J.: Komenský jako předchůdce současné teorie vyučování cizím jazykům. In: Jan Ámos Komenský. Příspěvky z komeniologické konference pořádané Pedagogickou fakultou v Hradci Králové ve dnech 8. – 11. října 1970. SPN Praha 1972, s. 51-54 (Comenius as a predecessor of contemporary theory of teaching foreign languages. In: Jan Ámos Comenius. Contributions of a conference organized by the Pedagogical Faculty in Hradec Králové in the days of 8th – 11th October 1970, SPN Prague 1972, pages 51-54)
- Vybrané spisy Jana Amose Komenského sv. IV. výbor z Obecné porady o nápravě věcí lidských a z věcného pansofického slovníku. SPN Praha 1966. Úvod J. Červenky, s. 16–53. (Selected writings of J. A. Comenius. vol. IV. Selected parts of the General advice on the remediation of human matters and of the Factual pansophic dictionary. SPN Prague 1966. Foreword by J. Červenka, p. 16–53)

Editorial notes

A selection from Orbis sensualium pictus, thematically related to the world of human activities – i.e. 60 chapters, was published by the publishing house TRIZONIA in 1991 as the first edition. It was however being prepared even before the year 1989, originally for the State Publishing House with the aim of being used in teaching foreign languages as a supplementary text. It is fully understandable that there was no interest in teaching Latin at that time, and that is why the selection was prepared to appear in four living languages only, i.e. in Czech, German, English and Russian. For the editorially adapted text there was however no hope of being edited soon in the State Publishing House at the time of organizational changes, and so it happened that it was left to a private publisher.

The newly adapted and enlarged edition by MACHART, the publishing house, was complemented with Comenius' Latin text from the Nuremberg edition, which had appeared in a critical edition in ACADEMIA, a publishing house, in 1970. Chapters were added characterizing the ideational bases of their author (God, the world, the senses, virtues and religions). The graphical design is completely new. The Latin text, as the basic text, follows separately, immediately below the corresponding pictures. The mutations of the text in the living languages are led by the tendency to correspond to the contemporary mode of expression.

That is why the Czech text often differs, particularly in the word order, from the original Latin version as well as from the versions of the older Czech translations. As far as the Latin text is concerned, a slight restriction is the usage of improper relative clauses and transitive constructions. In order that the meanings may be clearer it was sometimes necessary to repeat the subject or express it with the help of a substantive instead a pronoun. It was only occasionaly that the text was shortened if it was expedient as far as today's readers are concerned.

The fundamental Czech version has been appended with its translation into the contemporary living languages. Because the mutual relationship of the contemporary languages is now different from their relationship to Latin, which used to be looked upon as a certain standard and ideal in the time of the appearance of Orbis, it has now been shown to be more expedient to print the text of each of the languages continuously and uninterrupted without it being itemized as before.

Although today the selection will not serve the teaching of foreign languages as a basic textbook, we would be glad if it supported the interest in education of foreign languages and found its implementation as a set of elaborating texts widening the view of what has changed in the course of three centuries and a half in the cognizance of the world as well as in speaking about it.

Our Orbis' pictorial part is intended to remind the user of three different editions. For the larger pictures use was made of the old printing blocks used in H. Pospíšil's and Jar. Pospíšil's editions, which also served as parts of the Czech single-language edition in 1941. The smaller pictures placed next to each other are taken over from the Nuremberg and the Levoča editions. However, the difference consists in the fact that formerly the application of the printing blocks was always direct, whereas now they are photographically transferred in the form answering the new format of the publication.

Коменского «Мир чувственных вещей в картинках»

Учебник языков

Поскольку при жизни Коменского латынь была языком международного просвещения, а знание латыни – признаком образованности и средством, открывающим путь в мир высшего образования, Ян Амос Коменский искал способ, как латинскому языку научить быстрее и проще, чтобы больше времени можно было уделить самому вещественному образованию. На основании собственного педагогического опыта, а также знания тогдашних учебных пособий и их критического анализа, он пришел к выводу, что полезный учебник языка должен содействовать не только изучению языка, но также приносить поучение о реальном мире. Поэтому он выбрал около 7 300 самых важных слов, из них он составил тысячу предложений, сформированных на основе вещественного принципа во сто глав. Таким образом был создан учебник «Открытая дверь к языкам» (Janua linguarum reserata), изданный в 1631 году в польском городе Лешно, содержавший первоначально текст только на латинском языке. Однако Коменский предполагал, что посредническую роль к изучению латыни сыграет родной язык. Скоро после издания был сделан перевод на польский язык, а сам Коменский написал чешскую версию учебника, получившую название «Раскрытая дверь языков» (Dvéře jazyků otevřené).

Хотя учебник Janua в мире пользовался огромной популярностью, для начинающих он был очень трудным и сложным. Поэтому Коменский разработал новый учебник, более простой и соответственно его назвал «Преддверие» (Januae linguarum reserate Vestibulum).

Работа Коменского над учебниками языков завершилась произведением «Мир чувственных вещей в картинках» (Orbis sensualium pictus). Этот самый успешный и самый популярный учебник был составлен на основе сокращения и упрощения текста «Открытой двери к языкам», а был предназначен для подготовки к последующему изучению «Преддверия» и «Раскрытой двери языков».

Используемое обычно название этого знаменитого произведения «Мир в картинках» (Orbis pictus) представляет собой сокращенное название, лишенное с точки зрения замысла автора важного уточнения, что речь идет о мире вещей и явлений, понимаемых или воспринимаемых органами чувств. Свой авторский замысел ясно и четко в предисловии к данному произведению объяснил сам Коменский: «При этом важно, чтобы вещи, воспринимаемые чувствами, вначале и воспринимались чувствами, дабы они могли быть правильно поняты ... Ведь в самом деле, мы не можем ни действовать, ни говорить разумно, если предварительно не поймём правильно ни того, что нужно делать, ни того, о чем нужно говорить. В нашем же разуме нет ничего такого, чего раньше не было бы в чувствах. Таким образом, старательно упражняя чувства в области правильного восприятия различий, существующих между предметами, мы положим основание и для всей мудрости, и для всего мудрого красноречия, и для всех разумных жизненных действий и поступков». Итак Я. А. Коменский стремился к тому, чтобы каждое осваиваемое в ходе учения выражение, каждое слово было связано с познанием и пониманием предмета или явления, данным выражением обозначаемого. Поэтому он подчеркивал значение и роль слуха, зрения, вкуса и осязания при обучении языкам, и требовал того, чтобы предмет или действие, называемое учеником, ученик одновременно мог показать на рисунке или в реальности и мог это также нарисовать.

«Мир чувственных вещей в картинках» представляет собой наиболее последовательное воплощение дидактических идей Коменского, посвященных обучению языкам. Уникальность данного произведения состоит в том, что в начале каждой главы «Мира» приводится рисунок к проходимой теме, на котором цифрами обозначены отдельные предметы и явления. Благодаря этому текст взаимосвязан с иллюстрацией к нему.

Произведение «Мир в картинках» отличается также замечательным отношением к родному языку. Как сам Коменский пишет в предисловии, «Мир в картинках» в переводе с латинского на живой язык поможет также изучению этого родного языка в самой его основе, начиная с первого чтения и кончая самим учением. Чтобы облегчить работу над чтением, в начале книги находится символическая т. наз. «живая азбука». Сам автор объясняет, что делать, чтобы процесс учения избавить от «тяжкой муки детских умов». Он также взвешивал возможность разместить в конце учебника краткий обзор грамматики родного языка. Перевод учебника на родной язык должен послужить не только более наглядному познанию, но также более легкому освоению латинского языка. Коменский также предусматривал возможность целесообразного использования данного учебника в работе с детьми дошкольного возраста, которые, рассматривая рисунки, знакомились бы с окружающим миром.

«Мир в картинках» - отражение философских взглядов Коменского

Произведение Orbis sensualium pictus – это не только одна из вершин творчества и подытожение дидактических трудов автора, но это одновременно важное звено его пансофизма. В нем отражены также философские взгляды автора. Коменский всегда утверждал, что образование должно быть последовательным и полным, образующим одно целое. Поэтому этот учебник языков он предварительно задумал так, чтобы он был энциклопедией, доступной всем органам чувств, а даже первоначально предполагал назвать ее Encyklopaedia sensualium или также Lucidarium. Таким образом, название Orbis sensualium pictus («Мир чувственных вещей в картинках») им придумано позднее, а благодаря своей образности оно детям понятнее.

Однако следует дополнить, что понятие «энциклопедия» при жизни Коменского имело несколько иное толкование, чем в наши дни, когда школу часто упрекают в излишнем энциклопедизме, то есть в том, что дети часто перегружены фактографическими сведениями, не соответствующими их возрастной ступени образования, или же механически составленной совокупностью сведений без учета взаимной связи между ними. Коменский под словом «энциклопедия» и «энциклопедический» подразумевал систему образования в замкнутом круге, в котором явления взаимосвязаны друг с другом в одно органическое целое. Он считал, что образование должно быть в первую очередь систематичным.

А что Коменский подразумевает под взаимосвязанностью предметов и явлений, то можно увидеть уже в самом порядке составления отдельных глав «Мира в картинках». Согласно своим философским взглядам, первую главу книги Коменский посвятил рассуждению о Боге, его сущности и добродетелях. В заключении главы он представляет Бога как творца, правителя и хранителя мира. В следующих шести главах автор описывает мир в целом: небо, стихии, облака и землю. Следующий раздел посвящен «произведениям земли», к которым относятся горы, камни, то есть неживая природа, и также растения, животные, живущие на земле и в воде, то есть живая природа. Данный раздел заканчивается главой о человеке – высшем существе живой природы. В разделе, посвященном человеку, потом Коменский перечисляет семь возрастов человека. Далее описывает человеческое тело и его органы. Отдельная глава занимается внешними и внутренними чувствами. Пять внешних органов чувств изображено с помощью глаза, уха, носа, языка и руки. В качестве внутренних, значит, неизобразимых чувств, приводятся общее чувство, мышление и память. Глава о душе человека завершает раздел о человеке – отдельной личности, и одновременно совершеннейшем Божием творении. Вполне естественно в этот раздел входит также глава, в которой говорится о людях искалеченных, деформированных, резко отличающихся от обычного вида людей, таких как гигант, карлик, двухголовый человек, горбатый, и т. п. Это соответствует убеждению Коменского в том, что Божие творение постепенно теряет свое первоначальное совершенство.

Глава 44 открывает раздел, посвященный разным видам деятельности, посредством которых человек включается в жизнь общества. Автор рассматривает мир человеческого труда, который в мир природы и человека внес динамичный поворот, так как человек своей творческой деятельностью меняет природу, совершенствуя таким образом себя самого, и приближается к Богу как высшему совершенству. Может быть именно поэтому данный раздел начинается с символически культивированного сада. Коменский это обосновывает так, что первым трудом Адама было как раз садоводство. В последующих главах представлено земледелие и скотоводство. Как и во многих других главах, также и здесь сначала приводится историческая справка. Коменский так напоминает, видимо в связи с известными повестями об основоположниках правящих династий, которых прямо от плуга призывали к правлению, что пахота и разведение скота в давние времена были делом богатырей и королей, тогда как при его жизни такими делами занимались представители низких сословий. Следующие главы касаются всех основных видов деятельности и ремесел, с помощью которых человек себя и свою семью обеспечивал пищей, изготовлял одежду и обувь, строил жилище. Глава, посвященная механизмам, свидетельствует о том, как Коменский наблюдал за техническими усовершенствованиями и открытиями. Постепенно он рассматривает все более сложные виды труда, какими были, например, добыча и переработка железной руды, работа столяра, токаря, и также гончарные работы. В конце раздела приводится все, что нужно для благоустройства дома и жизни в нем, в том числе, углубление колодцев, а также услуги банщика, цирюльника или лекаря.

Раздел, содержащий несколько глав, начинающийся с конюшен и заканчивающийся кораблекрушением, с первого взгляда мог бы показаться несколько неоднородным. Однако его внутренняя связь существует и она определена тем, что приводятся такие виды деятельности, благодаря которым человек постепенно преодолевает препятствия, которыми его ограничивает время и пространство. Речь идет не только о самой деятельности, в частности, коневодстве, изготовлении бочек, ремней и веревок, верховой езде, передвижении по воде и плавании, но также о результатах такой деятельности, а именно о часах, телескопах, оптических стеклах, телегах или разных видах судов. Последняя глава напоминает о том, что помимо достижений, успехов и разных усовершенствований, такие стремления связаны также с неудачей – некоторые люди при крушении корабля спасаются, но другие бедственно гибнут и их товары идут к морскому дну.

Тематически взаимосвязан также следующий раздел, посвященный передаче и распространению знаний и идей, т. е. искусству письма, книге, типографии, школе. А если Коменский к словесному творчеству присоединил в виде следующего художественного творчества музыку, то это, несомненно, связано с его собственной деятельностью гимнографической, результатом которой стал Сборник духовных песнопений, изданный в 1659 году в Амстердаме. Философия в «Мире в картинках» представлена в виде совокупности всех наук, среди которых важную роль играет наука о цифрах, поскольку она и есть предпосылкой для исследования других областей науки. Далее последует глава о геодезии и исследовании небесных тел и внеземных объектов. Несколько схематических набросков приближает тогдашние астрономические достижения, однако с геоцентрической точки зрения (что позднее издателями было изменено). В заключении раздела, касающегося научного познания, приводится карта тогдашней Европы.

Области морального формирования человека Коменский посвятил раздел этики, куда он включил как общее поучение об этике, так и характеристику основных человеческих добродетелей: рассудительности, трудолюбия, умеренности, мужества, терпения, человечности, справедливости и щедрости. Итак, в разделе «Этика» указаны правила, которые человек, управляя самим собой, должен соблюдать.

Раздел, касающийся общественной жизни, начинается с бракосочетания, которое представляет собой ее основное звено. Потом следуют более высокие звена, их управление и содержание. Из общественной жизни Коменским не исключены ни фокусник, ни театр или разные виды игр. Королевством, управлением им, и военным делом завершается раздел, посвященный светской власти. Следующий раздел касается пути человека к высшей воле. К Богу человек приближается посредством религии. Религию Коменский приближает детям по отдельным стадиям развития – от язычества и иудаизма к христианству и, наконец, магометанству, которое он объясняет как сочетание всех предшествующих религий. Хотя наиболее подробно автором объясняется христианство, объяснения всех других видов религий отличаются лаконичностью, не имеющей абсолютно никаких следов религиозной нетерпимости.

В предпоследней главе о справедливости Божией автор предостерегает от суеверия, козней дьявола и разных волхвов и колдуний, сбивающих человека с истинного пути. Последним судом, который принесет справедливым вечное блаженство, завершается не только произведение, но одновременно и весь цикл, который с главы, посвященной Богу, начался, и к Нему опять вернулся.

Указанный цикл образования, по существу, представляет собой конкретную дидактическую реализацию общих идей пансофизма Коменского, которые позже он наиболее обширно сформировал в произведении «Всеобщий совет об исправлении дел человеческих». Вся дидактическая система Коменского опирается на прочную философскую основу. Следует упомянуть, что Коменского раньше в Чехии считали выдающимся педагогом, но недооценивали его вклад философа, и в частности, философа воспитания. Его воззрения творческим способом развивала чешская неофициальная ветка философских исследований, представленная прежде всего профессором Яном Паточкой и его учениками.

Философ Коменский был убежден в том, что порядок дан Богом, а место человека в нем определено. Человек по своей природе на этом свете призван содействовать приближению к высшей цели. Он подчеркивал активную роль человека, его творческую деятельность, его способность самоусовершенствования. Как никто до него, Коменский осознал высокую ценность труда и творческой деятельности человека.

Путь произведения к читателям

Путь произведения Коменского Orbis pictus к чешскому читателю был не простым и не скорым. Латинский текст произведения Коменский подготовил еще в течение своего пребывания во Венгрии в г. Шарош-Патак (1650 – 1654 гг.), куда его пригласили венгерские дворяне, чтобы он помог осуществить реформу школы. Однако местная типография не справилась с печатью картинок, а также текст на венгерском языке, параллельный тексту на латинском языке, не был подготовлен вовремя. Свой текст позднее Коменский послал из польского города Лешно печатнику Михалу Эндтеру в Нюрнберг. А успел он это сделать раньше, чем начался страшный пожар, в течение которого сгорели все рукописи Коменского. Orbis таким образом удалось спасти. Печатник Эндтер попросил поэта Зикмунда фон Биркен перевести текст на немецкий язык. Таким образом произведение Orbis sensualium pictus впервые вышло в свет в виде двуязычного издания в Нюрнберге в 1658 году. Благодаря огромному успеху второе издание произведения появилось уже в 1659 году, а далее последовало много других его изданий, в частности, четырехъязычное с переводом на итальянский и французский языки, а также трехъязычное издание с версией на венгерском языке. В латинско-немецкой версии «Мир в картинках» получил быстрое распространение по городам Северной и Средней Германии.

Orbis sensualium pictus очень скоро начали использовать также в Англии, где он сразу стал популярным. Еще в 1659 году его издали в Лондоне с интересным предисловием издателя Чарльза Гула, который приветствовал его появление как воплощение своих собственных идей. Известны также другие английские издания, в частности, двенадцатое издание благодаря стараниям Уильямса Джоунса было издано в 1798 году в Нью-Йорке. Кроме того, «Мир в картинках» стал используемым и весьма популярным учебником также в Дании и Швеции. Занимательность и жизнеспособность учебника постоянно увеличивалась благодаря тому, что его все время дополняли и расширяли с учетом актуальных потребностей. Вершины своей всемирной известности он достиг в течение1670-1680 гг.

В распространении «Мира в картинках» в Польше большую роль сыграл город Вроцлав. При содействии издателя Кашпара Мюллера учебник впервые вышел в свет в 1667 году на латинском, французском, немецком и польском языках. Известны также более поздние многочисленные трехъ- и четырехъязычные издания с польским языком, кроме того существует также отдельное двуязычное латинско-польское издание.

Из латинско-немецко-венгерского издания Эндтера позднее исходили издатели в Венгрии и Трансильвании. Важную роль в создании чешского текста «Мира в картинках» сыграло известное четырехъязычное издание 1685 года в типографии Самуэля Бревера в словацком городе Левоча. В этом известном издании после латинского, немецкого и венгерского текста приводится еще четвертый текст, написанный на смеси не только чешских и среднесловацких диалектов, но также восточнословацких, похожих на польские, и также действительно польских языковых элементов. Особенность данного текста связана, по всей вероятности, с коллективным трудом над его созданием, далее – пребыванием одного автора, скорее всего Даниела Горчички-Синапия, в разных языковых областях, а частично также с вмешательством наборщика и др. Латинское название Orbis sensualium pictus в данном издании переведено как «Мир видимый», гравюры работы Йонаша Бубенки. Произведение снова было переиздано в 1728 г., однако его текст был исправлен с учетом языка чешской библии. Данное исправление, осуществленное Йиржи Багилой, по существу, представляет собой настоящий первый чешский текст.

Первый перевод «Мира в картинках» на русский язык был сделан при Петре Великом. Предполагалось, что с учебником будут работать в московской высшей школе, однако текст остался только в рукописи и хранится в петербургской библиотеке Академии наук. Первое дошедшее до нас издание Orbis pictus с текстом на русском языке вышло в свет в 1760 году в пятиязычном издании под названием «Видимый свѣтъ». Это был первый, реализованный по инициативе М. В. Ломоносова, издательский почин только что открытого Московского университета.

Использование «Мира в картинках» в Австрии в течение длительного времени было, по существу, невозможным. Лишь педагог-пиарист П. Грациан Маркс принялся за его издание в 1756 году и использование его в качестве учебника для гимназии. Это было избранное из первоначального нюрнбергского издания, содержащее 82 главы. Тогда разрешили издать также версию с чешским текстом, однако он был опубликован только один раз в 1779 году. На избранное Маркса позднее опирались последующие редакции. Огромное значение для чешского языка имеет издание «Мира в картинках» преподавателем гимназии Яном Сомбати в венгерском городе Шарош-Патаке, который к латинскому и немецкому тексту присоединил еще текст на венгерском языке, а в изданиях 1798, 1806 и 1820 гг. также текст на чешском языке. Традиция издания «Мира в картинках» в Венгрии и Трансильвании продолжалась еще долго и на протяжении 19 столетия.

Помимо поступления книги на территорию Чехии из Венгрии и Вены, особенно большое значение имел третий путь «Мира в картинках» в Чехию, а именно из польского Вроцлава. Местный издатель поддерживал связи с немецкими Эндтерами. А когда Эндтеры утеряли интерес к изданию «Мира в картинках», гравюры со вторым комплектом клише они продали типографу Вильгельму Б. Корну. Он же издал четырехъязычный латинско-французско-немецко-польский «Мир в картинках» в 1805 и 1818 гг. В эпоху национального Возрождения второе издание этого «Мира в картинках» попало в руки Йозефа Хмеля, преподавателя гимназии в городе Градец-Кралове. Хмель так увлекся идеей предоставить данную книгу чешскому читателю, что он сам сделал новый перевод на чешский язык, а даже в необходимости издания книги убедил издателя Яна Гостивита Поспишила. Они купили у вроцлавского издателя типографское клише, а таким образом, в г. Градец-Кралове в 1833 году вышло в свет новое латинско-немецко-чешско-польско-французское издание. Благодаря продуманным стараниям издателей, которые привлекли многих подписчиков, Orbis sensualium pictus наконец стал доступным широкой чешской читательской общественности. В течение четырех месяцев было продано 5 300 экземпляров. Издатели Поспишилы издавали «Мир в картинках» также позднее, в г. Градец-Кралове, а потом также в Праге, однако уже без текста на польском языке.

Жизнеспособность «Мира в картинках» была великой, он проложил себе дорогу в среднюю школу, где его использовали как чешско-немецкий учебник разговорной речи. Под названием «Мир в картинках на чешском и немецком языках» книга вышла в оформлении Франтишека Паточки, преподавателя реальной гимназии в г. Табор. Иллюстрации нарисовал Ян Костенец, преподаватель реальных школ в г. Пардубице. Книга была издана Л. Кобером в 1870 году в Праге. Паточкой сделаны сравнительно большие изменения, прежде всего он дополнил разделы, посвященные сельскохозяйственным машинам, железной дороге, фабрике и т. п. Это все свидетельствует о практическом назначении учебника: «...чтобы ученики получили знания из отраслей сельского хозяйства, промышленности, и также выучили правильные чешские названия приводимых предметов, и одновременно на основе полученных знаний выучили названия этих предметов и явлений также на немецком языке». Рисунки приводятся только там, где это необходимо для понимания текста.

Orbis pictus также является своеобразным документом, свидетельствующим о живых связях с югославянской культурой. Книга под названием «Свет у сликама» была издана Й. Бенешом в г. Чески-Брод в виде нового многоязычного учебника на сербском, чешском, немецком и французском языках. Издание не датировано, а латинский язык в нем отсутствует. Его основную цель объяснил переводчик на сербский язык Йован М. Попович в вводной части. Его основным желанием было, чтобы с помощью «Мира в картинках» сербы просто выучили чешский язык, а чехи – сербский. Поэтому в конце учебника он приводит поучение о произношении и ударении в чешском языке. Введение датируется 1913 годом. Издание, полностью готовое еще в 1914 г., однако во время Первой мировой войны было конфисковано, а допечатано и поставлено в Сербию оно было только после окончания войны. Эта версия «Мира в картинках», предназначенная для ознакомления и практического освоения двух славянских языков, по существу, завершила период использования «Мира в картинках» в Чехии в качестве учебника языков. Все последующие издания выходили в свет с целью предоставить читателям памятник культуры и источник для научных работ.

В 1929 году в Брно Orbis pictus был издан в виде 10-го тома большого издания Собранных сочинений Яна Амоса Коменского. Это было критическое издание, подготовленное в печать Гертвиком Ярником с обширной статьей, посвященной внешней истории произведения.

Ссылаясь на замысел Коменского использовать «Мир в картинках» в начальных классах в виде хрестоматии и учебного пособия по окружающему миру, любителям культурных памятников было предназначено чешское одноязычное издание «Мира в картинках» 1941 года. Его целью было не только вспомнить и почтить память Я. А. Коменского по случаю 270-й годовщины его смерти, но также оценить работу деятелей эпохи национального Возрождения Йозефа Хмеля и Яна Гостивита Поспишила. Чешский текст в переводе Хмеля отредактировал и частично модернизировал Ф. Оберфальцер. С вводным словом Й. Гендриха его издал Ф. Борови в Праге. Благодаря графическому оформлению Ф. Музыки и удачному использованию старых клише, приобретенных Й. Г. Поспишилом в Вроцлаве, была создана книга достойно представляющая чешскую народную культуру, а в период нацистской оккупации укрепляющая чувство национального достоинства.

Достаточно распространенным в Чехии было также юбилейное издание по случаю 350-й годовщины рождения Коменского, изданное Ф. Стрнадом в 1942 году в Праге-Виноградах в виде 8-го тома серии «Розовая поляна» под редакцией Антонина Доланского. В данном издании были тексты на латинском, немецком и чешском языках.

Фотолитографский перевод четырехъязычного левочского издания 1685 года представляет собой юбилейное издание Государственного педагогического издательства в Праге, вышедшее в свет в 1958 году как первое, а в 1979 году как второе неизмененное издание. Книга дополнена квалифицированным послесловием Йиржины Попеловой.

В издательстве Чехословацкой академии наук в 1970 году был издан двуязычный латинско-немецкий «Мир чувственных вещей в картинках», в виде составной части научного издания «Трудов Яна Амоса Коменского 17». Это критическое издание реализовалось благодаря стараниям издателей Яромира Червенки (латинский текст) и Станислава Кралика (немецкий текст), которые исходили из нюрнбергского издания 1659 и 1662 гг. Послесловие к данному изданию написала Марта Бечкова.

Предлагаемое нами нетрадиционное избранное из произведения Коменского «Мир чувственных вещей в картинках» хочет приблизить современникам наследие автора. Поэтому избранные главы касаются прежде всего мира действий человека. Значит, из произведения были избраны те части, которые наиболее четко показывают отдельные виды человеческой деятельности, или же ее материальные или духовные результаты. Нам хотелось бы обратить внимание на динамичность «Мира в картинках», а также на то, как точно и сжато Коменский сумел постигнуть существенные признаки отдельных видов деятельности. Тогда как первая часть «Мира в картинках» потеряла часть своей актуальности благодаря изменениям, связанным с развитием человеческого познания, то главы, в которых рассматривается мир человеческого труда, являются свежими интересными документами об образе жизни и стараниях людей в те времена, когда жил автор, или же еще в более давних веках.

Надежда Квиткова

Использованная литература

- ČAPKOVÁ, D.: Dílo Komenského a myšlení 17. století. (Труды Коменского и мышление 17 века). Filozofický časopis, roč. XXXV, č. 6, s. 941-949.
- ČAPKOVÁ, D.: Některé základní principy pedagogického myšlení Komenského. (Некоторые основные принципы педагогического мышления Коменского). Rozpravy ČSAV (XXXVII), Praha 1977.
- ČAPKOVA, D.: Vzdělávání malých dětí v pojetí univerzálního celoživotního vzdělávání v díle J. A. Komenského. (Обучение малых детей в понимании универсального пожизненного образования в произведениях Я. А. Коменского). Praha Univerzita 17. listopadu 1971.
- HÁDEK, K: Komunikativní vztahy jako interpretační hledisko při klasifikaci jazykových jevů. (Коммуникативные отношения с точки зрения интерпретации классификации языковых явлений). In AUPO, Philologica 55, 1987, s. 91-95.
- JARNÍK, H.: Předmluva k vydání 10. sv. Veškerých spisů Jana Amose Komenského. (Предисловие к 10-му тому Собранных сочинений Яна Амоса Коменского). Brno 1929.
- PATOČKA, JAN: Filozofické základy Komenského pedagogiky. (Философские основы педагогики Коменского). In: Komeniologické studieI Praha: OIKOYMENH 1997, s. 164-231.
- Otázky současné komeniologie. (Вопросы современного коменоведения). Praha Academia 1981.
- POPELOVÁ, J.: Epilog. (Эпилог). In: Orbis sensualium pictus. SPN Praha 1979.
- ŠKARKA, A.: Jan Ámos Komenský. (Ян Амос Коменский). In: Dějiny české literatury I. Starší česká literatura. Praha 1959, s. 412-454.
- VESELÝ, J.: Komenský jako předchůdce současné teorie vyučování cizím jazykům. (Коменский – предшественник современной теории обучения иностранным языкам). In: Jan Amos Komenský. Příspěvky z komeniologické konference pořádané Pedagogickou fakultou v Hradci Králové ve dnech 8.-11. října 1970 (Ян Амос Коменский. Доклады к научной конференции, организованной Педагогическим факультетом в г. Градец-Кралове 8 – 11 октября 1970 г.), SPN Praha 1972, s. 51-54.
- Vybrané spisy Jana Amose Komenského. Svazek IV. Výbor z obecné porady o nápravě věcí lidských a z věcného pansofického slovníku. (Úvod J. Červenky s. 16-53). (Избранные произведения Яна Амоса Коменского. Том IV. Избранные главы из Всеобщего совета об исправлении дел человеческих и Пансофического словаря. – Вступительное слово Я. Червенки стр. 16-53). SPN Praha 1966
- FLOSS, P.: J. A. Komenský a vědy o přírodě a člověku. (Я. А. Коменский и науки о природе и человеке). Krajský pedagogický ústav Olomouc 1983.

Примечание издателя

Избранное из произведения «Мир чувственных вещей в картинках», тематически направленное на мир человеческой деятельности – в целом 60 глав – было издано в 1991 году в виде первого издания в издательстве Trizonia. Однако к печати оно готовилось еще до политических изменений в 1989 г., первоначально для Государственного педагогического издательства (ГПИ) с целью использовать его в качестве дополнительного материала при обучении иностранным языкам. Естественно, интерес к латинскому языку тогда был очень низким, поэтому к печати готовилось только издание на четырех живых языках: т. е. чешском, немецком, английском и русском. Отредактированный для печати текст однако в период организационных изменений не имел никаких шансов на скорое издание в ГПИ, а поэтому его предоставили частному издателю.

Новая редакция расширенного издания в издательстве «Махарт» (Machart) была дополнена за счет первоначального латинского текста Я. А. Коменского из нюрнбергского издания, который был опубликован в критическом издании в 1970 году в издательстве ACADEMIA. Далее были дополнены главы, характеризующие идейные воззрения их автора (Бог, Мир, Чувства, Добродетели и Религия). Новым является также графическое оформление книги. Исходный латинский текст приводится самостоятельно над соответствующими рисунками. Переводы на иностранные языки руководствуются тем, чтобы по возможности больше соответствовать современному живому языку.

Поэтому довольно часто чешский текст, в частности, порядком слов, отличается от первоначального латинского источника и первоначальных переводов на чешский язык. По сравнению с латинской версией реже встречаются деепричастные обороты и придаточные относительные предложения. В некоторых случаях с целью более точного выражения значения нужно было повторить подлежащее или выразить его с помощью существительного, а не только местоимения. Лишь в единичных случаях был текст сокращен, чтобы был более понятным сегодняшнему читателю.

К основной чешской версии присоединены переводы того же текста на современные живые языки. Поскольку соотношение современных языков друг к другу несколько иное, чем в период создания «Мира в картинках» было их отношение к латинскому языку, представляющему тогда определенный идеал и эталон, более целесообразным считаем опубликовать на каждом языке полный текст без первоначального членения.

Хотя предлагаемый сегодня читателям материал, по всей вероятности, уже не будет использоваться в виде основного языкового учебника, нам хотелось бы, чтобы ему удалось вызвать больший интерес к изучению языков и чтобы он нашел свое применение как хрестоматия дополнительных текстов, расширяющих знания о том, что в течение трех с половиной столетий изменилось в познании мира и повествовании о нем.

Иллюстрации к настоящему изданию хотят напомнить о трех разных изданиях книги. Крупные картинки перепечатаны со старых клише, опубликованных в изданиях Г. Поспишила и Я. Поспишила, использованных в успешном чешском одноязычном издании 1941 года. Маленькие рисунки, находящиеся рядом, происходят из нюрнбергского и левочского издания. Различие между ними состоит прежде всего в том, что раньше в типографии использовали прямо клише, зато в настоящее время используется их фотографическое изображение в том виде, который соответствует новому формату книги.

(Johannes Amos Comenius)

ORBIS SENSUALIUM PICTUS

(Jan Amos Komenský)

JOH. AMOS COMMENII,

ORBIS SENSUALIUM PICTUS.

Hoc est,

Omnium fundamentalium in Mundo Rerum & in Vitâ Actionum

Pictura & Nomenclatura.

Die sichtbare Welt /

Das ist /

Aller vornemsten Welt-Dinge und Lebens-Verrichtungen

Vorbildung und Benahmung.

NORIBERGÆ,

Typis & Sumptibus MICHAELIS ENDTERI.

Anno Salutis clↄ Iↄc LVIII.

Přetisk titulní strany prvního vydání z roku 1658 / Nachdruck der Titelseite der ersten Herausgabe von 1658 / Reprint of the title page of 1658 / Перевод заглавной страницы первого издания 1658 г.

Praefatio ad lectorem

Ruditatis antidotum eruditio est, quâ in scholis ingenia imbui debent: sed ita, ut eruditio vera, ut plena, ut lucida, ut solida sit. Vera erit, si non nisi utilia vitae docentur et discuntur, ne postmodum queritandi occasio sit: Necessaria ignoramus, quia non necessaria didicimus. Plena, si expoliatur mens ad sapientiam, lingva ad eloquentiam, manus ad actiones vitae solerter obeundas: hoc erit SAL illud vitae, sapere, agere, loqui. Lucida erit, ac per id firma et solida, si quicquid docetur et discitur, non obscurum sit aut confusum, sed clarum, distinctum, articulatum, tanquam digiti manuum. Hujus rei fundamentum est, ut sensualia rectè praesententur sensibus, ne capi non possint. Dico et altâ voce repeto, postremum hoc reliquorum omnium esse fundamentum: quia nec agere nec loqui sapienter possumus, nisi prius omnia, quae agenda sunt et de quibus loquendum est, rectè intelligamus. In intellectu autem nihil est, nisi priùs fuerit in sensu. Sensus ergò circa rerum differentias rectè percipiendas gnaviter exercere erit toti sapientiae totique sapienti eloquentiae omnibusque prudentibus vitae actionibus fundamenta ponere. Quod quia vulgò in scholis negligitur discipulisque discenda objiciuntur nec intellecta nec sensibus rectè praesentata, fit, ut docendi et discendi labor molestè procedat exiguumque ferat fructum.

En igitur novum scholis subsidium: Omnium fundamentalium in mundo rerum et in vitâ actionum pictura et nomenclatura! Quam ut vestris cum discipulis pertransire libenter ne gravemini, boni magistri, quid inde boni veniat exspectandum, paucis explicabo.

Libellus est, ut videtis, haut magnae molis, mundi tamen totius et totius lingvae breviarium, plenus picturis, nomenclaturis rerumque descriptionibus.

1. Picturae sunt rerum omnium visibilium (ad quas et invisibiles suo modo reducuntur) totius mundi icones, idque ipso rerum ordine, quo in Januâ lingvarum descriptae sunt; atque plenitudine eâ, ut nihil adeò necessarium et cardinale omittatur.

2. Nomenclaturae sunt suae cuique picturae superpositae inscriptiones seu tituli, rem totam generali suo exprimentes vocabulo.

3. Descriptiones sunt partium picturae explicationes, propriis suis appellationibus ita expressae, ut cuivis picturae membro et appellationi ejus eadem addita cifra, quae ad se invicem spectent, perpetuò ostendat.

Qui talis libellus, tali hoc apparatu, serviet, spero: Primum ad alliciendum huc ingenia, ne sibi crucem in scholâ imaginentur, sed delicias. Notum enim est pueros (ab ipsâ propemodum infantiâ) picturis delectari oculosque his spectaculis libenter pascere. Obtinuisse autem, ut à sapientiae hortulis terriculamenta tollantur, magnum operae pretium erit.

Secundò serviet libellus idem excitandae, rebus affigendae et semper magis magisque exacuendae attentioni; quod et ipsum magnum est. Sensûs enim (aetatulae primae duces potissimi, quippe ubi mens ad abstractam rerum contemplationem nondum se elevat) objecta sua semper quaerunt, absentibus illis hebescunt taedioque sui huc illuc se vertunt; praesentibus autem objectis suis hilarescunt, vivescunt et se illis affigi, donec res satis perspecta sit, libenter patiuntur. Libellus ergò hic ingeniis (vagis praesertim) captivandis et ad altiora studia praeparandis bonam navabit operam.

Unde tertium sequetur bonum, ut huc allecti et hâc cum attentione traducti pueri rerum in mundo primariarum notitiâ per lusum et jocum instruantur. Verbo, Vestibulo et Januae Lingvarum amoeniùs tractandis libellus hic serviet, quò etiam primariò destinatur.

Si tamen vernaculis etiam lingvis eum placeat concinnari, alia tria de se promittit bona.

1. Literarum lectioni facilius quàm hactenus addiscendae stratagema suppeditabit: praesertim eidem praemisso alphabeto symbolico, literarum nempe singularum characteribus cum appictâ animalis istius, cujus vocem litera illa imitatum it, imagine. Ex ipsâ

quippe animalis inspectione vim characteris cujusque recordabitur facile alphabetarius tiro: donec usu firmata imaginatio promptè omnia suppeditet. Lustrato deinde primariarum etiam syllabarum abaco (quem tamen huic libello adjici non opus videbatur) venire poterit ad lustramen picturarum et superimpositarum inscriptionum. Ubi rursum ipsa rei depictae inspectio, rei nomen suggerens, quomodo picturae titulus legendus sit, monebit. Transitoque sic libro toto, per solos picturarum titulos, lectio non addisci non poterit: et quidem (quod notandum) nullâ adhibitâ vulgari prolixâ syllabizatione, permolestâ illa ingeniorum torturâ, quae hâc methodo declinari poterit tota. Iterata enim libelli lectio per ipsas pleniores et picturis subjectas rerum descriptiones habitum legendi penitùs absolvere poterit.

2. Serviet idem libellus, vernaculis in scholis vernaculè tractatus, ediscendae lingvae vernaculae toti et à fundamento: quoniam per praedictas rerum descriptiones lingvae totius voces et phrases suis aptè locis digestae reperiuntur. Et addi posset ad calcem brevis grammatica vernacula, sermonem jam intellectum in suas partes perspicuè resolvens, vocum singularum flexiones ostendens, conjunctas autem sub regulas certas reducens.

3. Inde novum emergit commodum, ut ea ipsa versio vernacula lingvae Latinae promptiùs svaviusque addiscendae serviat: ut in hâc editione videre est, libello toto ita translato, ut verbum verbo è regione respondeat ubique sitque idem per omnia liber, bino duntaxat idiomate, ut homo veste indutus duplici. Possentque in fine adjici quaedam etiam observationes et monita, de iis solis, in quibus Latinae lingvae consvetudo à vernacula recedit. Nam ubi nihil receditur, nihil moneri opus est.

Caeterùm, quia prima discentium pensa pauca et simplicia esse oportet: primum hunc tirocinii autoptici libellum non nisi rudimentis implevimus, rerum scilicet et verborum cardinibus, ceu totius mundi et totius lingvae totiusque nostri circa res intellectûs basibus. Perfectior rerum descriptio et plenior lingvae cognitio mentisque lumen splendidius si quaeruntur (ut debent), reperiuntur alibi, quò jam per hanc nostram sensualium encyclopaediolam non difficilis erit transitus.

De amoeniore libelli hujus usu monendum aliquid restat.

1. Detur pueris in manûs ad oblectandum se pro lubitu figurarum spectaculo easque sibi reddendum quàm familiarissimas, etiam domi, antequam scholam mittantur.

2. Tum examinandi subinde (praesertim in scholâ jam), quid hoc, quid illud sit et dicatur: ut nihil videant, quod nesciant nominare, et nihil nominent, quod nesciant ostendere.

3. Ostendantur verò illis res nominatae non tantum in picturâ, sed et in seipsis, exempli gratiâ membra corporis, vestes, libri, domus et utensilia etc.

4. Permittatur etiam illis picturas manu imitari, si volunt; imò ut velint, incitandi sunt: primò ad acuendam sic quoque attentionem in res, tum ad observandam partium ad se invicem proportionem, denique ad excercendum manûs agilitatem, quae res ad multa utilis est.

5. Si quae res, quarum hic mentio fit, oculis praesentari non potest, valdè fuerit è re discipulis ea per se offerri: nempe colores, sapores, quae hic atramento depingi non poterant. Quo nomine optandum esset, in qualibet illustri scholâ res raras et domi non obvias asservari paratas, ut quoties discipulis verba de iis facienda sunt, simul exhiberi queant.

Ita demum schola haec verè esset schola sensualium, scholae intellectualis praeludium. Satis autem; veniamus in rem ipsam!

Předmluva ke čtenáři

Lékem proti nevědomosti je vzdělání, které se má ve škole mladým myslím dostávat; avšak tak, aby vzdělání bylo pravé, plné, jasné a trvalé. Pravé bude, jestliže se bude učit a vyučovat jen tomu, co je v životě užitečné, aby později nebylo důvodem k nářku: Potřebné neznáme, protože jsme se potřebnému nenaučili. Plné bude, jestliže se rozum přivede k moudrosti, jazyk k výmluvnosti, ruce k činnostem, které máme v životě konat; to bude známá sůl života: moudrým být, moudře jednat a mluvit. Jasné bude, a tím i pevné a trvalé, jestliže všechno, čemu vyučujeme a učíme se, nebude temné nebo zmatené, ale zřetelné, uspořádané a rozčleněné jako prsty na rukou. Hlavní při tom je předkládat věci smyslům vnímatelné nejdříve smyslům, aby mohly být pochopeny. Pravím a důrazně opakuji, že to poslední je základem všeho. Neboť nemůžeme ani jednat, ani mluvit moudře, jestliže dříve neporozumíme správně všemu, co máme činit nebo o čem máme mluvit. V rozumu pak nic není, co nebylo dříve ve smyslech. Pilně cvičit smysly ve správném chápání rozdílů mezi věcmi znamená klást základy veškeré moudrosti, vší moudré výmluvnosti a všem moudrým úkonům v životě. Poněvadž se na to obyčejně ve škole nedbá a žákům se předkládají k učení věci rozumem nepochopené a smyslům řádně nepředstavené, stává se, že práce učitelů a žáků jde obtížně a dává nepatrný užitek.

Hle, zde je nová pomůcka pro školy! Zobrazení a pojmenování všech hlavních věcí na světě a všech činností v životě. Abyste ji, milí učitelé, bez obtíží se svými žáky probírali, stručně vyložím, co dobrého lze od ní očekávat.

Knížka, jak vidíte, není velká, avšak obsahuje stručné shrnutí o celém světě a vše podstatné z celého jazyka, je plná obrázků, pojmenování a popisů.

1. Obrázky podávají vyobrazení všech věcí viditelných (a k nim se uvádějí i věcí neviditelné) z celého světa a v témž pořadí, v jakém byly vyloženy v Bráně jazyků, a s tou úplností, že se nevypouští nic, co je nezbytné a podstatné.

2. Jako pojmenování jsou uvedeny nad každým obrázkem nadpisy neboli tituly, které vyjadřují celý obsah souborným slovem.

3. Popisy podávají výklad věcí na obrázku, jsou vyjádřeny příslušnými názvy tak, že ke každému předmětu na obrázku a k jeho názvu v textu je připojena táž číslice, aby ukazovala, co k sobě navzájem patří.

Tato knížka v takovéto úpravě bude, doufám, sloužit: Za prvé k přivábení zájmu dětí, aby si nepředstavovaly ve škole nějaké trápení, ale potěšení. Neboť je známo, že chlapci od nejútlejšího věku mají zálibu v obrázcích a rádi si je prohlížejí. Dosáhneme-li, že ze zahrádek moudrosti budou vypuzení strašáci, bude to veliký zisk.

Za druhé bude tato knížka sloužit k vyvolávání, upoutávání a stále většímu bystření pozornosti. To samo o sobě je důležité. Smysly totiž (v mladém věku nejdůležitější činitelé, neboť rozum ještě k přemýšlení o abstraktních věcech nedospěl) vždy hledají vhodné podněty, nemají-li jich, ochabují a teskně těkají sem a tam, mají-li vhodné podněty, veselí se, oživují a rády se k nim upoutávají, dokud věc dostatečně neprozkoumají. Proto tato knížka bude pomáhat k ukáznění hochů (zejména těkavějších) a k jejich přípravě pro další studium.

Z toho vyplyne třetí výhoda, že hoši k této knížce přivábeni a přivedeni k pozorování hravě a zábavně získají vědomosti o nejdůležitějších věcech na světě. Zkrátka, tato knížka poslouží k příjemnějšímu probírání Vestibularia a Brány jazyků, k tomu je primárně určena.

Uzná-li se za vhodné upravit ji ještě pro mateřské jazyky, slibuje tři jiné dobré věci.

1. Podává způsob, jak děti snáze naučit číst, než tomu bylo dosud: pomocí vpředu uvedené symbolické abecedy v podobě obrázků, to jest prostřednictvím znaku pro písmeno a přimalovaného obrázku živočicha, jehož hlasu se podobá zvuk naproti postaveného písme-

na. Již z pouhého pohledu na živočicha si žák začátečník snadno vzpomene na platnost každého písmena, až k tomu mysl přivykne a návyk se upevní, snadno ty věci dojdou k rozumu. Jestliže si také prohlédneme tabulku nejdůležitějších slabik (kterou jsme však nepovažovali za potřebné k této knížce připojit), může se přistoupit k prohlížení obrázků a nad nimi uvedených nadpisů. A tu zase sám pohled na namalovanou věc napoví jméno věci, připomene, jak má být čten název obrázku. A když se celá kniha tímto způsobem, přes názvy obrázků probere, nemůže se stát, aby se žák nenaučil číst; a třeba připomenout, bez všeho toho běžného dlouhého slabikování, toho obtížného trápení mysli, jemuž se lze touto metodou zcela vyhnout. Opakované čtení knížky i s obsáhlejšími popisy, které jsou pod obrázky, zdokonalí dovednost čtení.

2. Bude-li se tato knížka v národních školách mateřským jazykem probírat, poslouží k tomu, aby se žák tomuto jazyku zcela a od základu naučil, protože ve výše uvedených výkladech jsou vhodně uspořádané slova a vazby z celého jazyka. A je možné také na konec připojit krátkou gramatiku mateřského jazyka, která by zřetelně rozebírala již pochopený jazyk, která by ukazovala, jak se mají slova ohýbat a uváděla pravidla užívaná při spojování slov.

3. Z toho vyplývá nový užitek, aby totiž překlad do řeči mateřské posloužil k snazšímu a příjemnějšímu osvojení jazyka latinského, jako je možno vidět i v tomto vydání, ve kterém je celá knížka tak přeložená, že je uvedeno všude slovo proti slovu a k sobě tak patří, že tato kniha je jedna o všem, ale v různých jazycích, podobně jako by jeden a týž člověk byl oděn v různých šatech. A na konci by mohl být připojen přehled a připomínky z hlediska toho, v čem se jazyk latinský liší od jazyka mateřského. Neboť kde není žádný rozdíl, žádných připomínek není zapotřebí.

Poněvadž první lekce mají být prosté a jednoduché, zařadili jsme do této knížky počátečního učení pouze věci základní a dětskému rozumu pochopitelné a stěžejní slova, na jejichž znalosti záleží poznání celého světa, celého jazyka a všech věcí. Jestliže někdo hledá dokonalejší popis věcí a úplnější znalosti jazyka a jasnější osvícení mysli (což mu dlužíme), nalezne to jinde, kam se snadno dostane prostřednictvím této naší smyslům dostupné encyklopedie.

Zbývá ještě něco připomenout k příjemnému užívání této knížky:

1. Dávejte ji chlapcům do rukou, aby se podle libosti dívali na obrázky a co nejvíce se s nimi seznamovali ještě doma, dříve než půjdou do školy.

2. Potom se jich často ptejte (zvláštně už ve škole), co to a ono je a jak se to nazývá, aby nic neviděli, co by nedovedli pojmenovat, a aby nic nejmenovali, co by nedovedli ukázat.

3. Pojmenované věci jim ukazujte nejen na obrázcích, ale také ve skutečnosti, například tělesné údy, oděv, knihy, dům, domácí náčiní atd.

4. Dovolujte jim také napodobovat obrázky vlastní rukou, chtějí-li, ba povzbuzujte je, aby chtěli; za prvé aby i tak se zbystřovala pozornost vůči věcem, za druhé aby si uvědomovali vzájemný poměr částí, a konečně aby si cvičili zručnost ruky, která je mnohonásobně užitečná.

5. Jestliže se některé věci, o nichž se tu zmiňujeme, nedají předložit zraku, bude velmi užitečné předvést je žákům přímo; na příklad barvy nebo chuti, které se tu nedaly zobrazit tiskařskou černí. Z toho důvodu by bylo žádoucí mít v každé významnější škole sbírky věcí vzácných a doma se nevyskytujících, aby se mohly žákům zároveň ukázat, kdykoli se jim má o nich vykládat. Pak teprve by byla tato škola opravdovou školou světa smyslového, předehrou školy světa rozumového. Ale už dosti, přikročme k věci.

Vorwort an den Leser

Eine Arznei gegen die Unwissenheit ist die Bildung, die die Sinne der Jugend in der Schule erhalten sollen; aber so, dass die Bildung wahr, vollständig, klar und von Dauer ist. Wahr wird sie sein, wenn man nur das lernen und lehren wird, was im Leben nützlich ist, damit es später keinen Grund zum Klagen gibt: das Nützliche kennen wir nicht, weil wir nichts Nützliches gelernt haben. Vollständig wird sie sein, wenn man den Verstand zur Klugheit führt, die Zunge zur Sprachgewandtheit, die Hände zu Tätigkeiten, die wir im Leben tun sollen; das wird das bekannte Salz des Lebens sein: klug sein, klug handeln und reden. Klar und damit auch fest und von Dauer wird sie sein, wenn alles, was wir lehren und lernen, nicht dunkel und verworren, sondern deutlich, geordnet und gegliedert ist wie die Finger an den Händen. Die Hauptsache dabei ist, die durch die Sinne wahrnehmbaren Dinge zuerst den Sinnen vorzulegen, damit sie begriffen werden können. Ich sage und wiederhole nachdrücklich, dass Letzteres die Grundlage von allem ist. Denn wir können weder handeln noch klug sprechen, wenn wir nicht zuerst alles richtig verstehen, was wir tun oder wovon wir sprechen sollen. Im Verstand ist dann nichts, was vorher nicht in den Sinnen war. Die Sinne im richtigen Verstehen der Unterschiede zwischen den Dingen zu üben, bedeutet, die Grundlage aller Klugheit, aller klugen Beredsamkeit und aller klugen Handlungen im Leben zu schaffen. Weil man in der Schule gewöhnlich nicht darauf achtet und den Schülern dem Verstand unfassbare und den Sinnen unvorstellbare Dinge zum Lernen vorlegt, kommt es vor, dass die Arbeit im Unterricht und das Lernen mühsam vorangehen und einen geringen Nutzen bringen.

Seht, hier ist ein neues Hilfsmittel für die Schulen! Die Abbildung und Benennung aller wichtigen Dinge auf der Welt und aller Tätigkeiten im Leben. Damit Sie es, liebe Lehrer, mit Ihren Schülern ohne Schwierigkeiten durchnehmen können, werde ich kurz darlegen, was man von ihm Gutes erwarten kann.

Das Büchlein ist, wie Sie sehen, nicht groß, aber es enthält eine kurze Zusammenfassung über die ganze Welt und alles Wesentliche aus der ganzen Sprache, es ist voll von Bildern, Benennungen und Beschreibungen.

1. Die Bilder stellen die Abbildungen aller sichtbaren Dinge aus der ganzen Welt dar (und bei ihnen werden auch unsichtbare Dinge angeführt) in der Reihenfolge, in der sie in „Janua linguarum“ dargelegt wurden, und mit einer Vollständigkeit, dass nichts ausgelassen wird, was unerlässlich und wesentlich ist.

2. Als Benennungen sind über jedem Bild Überschriften oder Titel angeführt, die den ganzen Inhalt mit einem umfassenden Wort ausdrücken.

3. Die Beschreibungen erklären die Dinge auf dem Bild, sie sind mit entsprechenden Benennungen gekennzeichnet, und zwar so, dass zu jedem Gegenstand auf dem Bild und zu seiner Benennung im Text die gleiche Zahl hinzugefügt ist, um zu zeigen, was zusammengehört.

Dieses Büchlein wird, so hoffe ich, in dieser Form dienen: Erstens soll es das Interesse der Kinder wecken, damit sie in der Schule nicht irgendeine Qual, sondern ein Vergnügen sehen. Denn es ist bekannt, dass die Jungen vom frühesten Alter an eine Vorliebe für Bilder haben und sie gern anschauen. Wenn wir erreichen, dass aus diesen Gärtchen der Klugheit die Scheuchen vertrieben werden, wird es ein großer Gewinn sein.

Zweitens wird dieses Büchlein dazu dienen, die Aufmerksamkeit zu wecken, zu fesseln und immer mehr zu schärfen. Das allein ist wichtig. Die Sinne (in jungen Jahren die wichtigsten Faktoren, weil der Verstand abstrakte Dinge noch nicht zu erfassen vermag) suchen immer geeignete Impulse, und wenn sie sie nicht haben, erlahmen sie und schweifen traurig umher, haben sie geeignete Impulse, sind sie vergnügt, leben auf und heften sich an sie, bis sie das Ding genügend erforscht haben. Deshalb wird dieses Büchlein helfen, die (vor allem unsteten) Jungen zu disziplinieren und sie für das weitere Studium vorzubereiten.

Daraus ergibt sich der dritte Vorteil, dass die Jungen zur Beobachtung angelockt und herangeführt, spielend und unterhaltsam Kenntnisse von den wichtigsten Sachen in der Welt gewinnen. Kurz, dieses Büchlein dient dazu, „Vestibularium" und „Janua linguarum" angenehmer durchzunehmen, dazu ist es primär bestimmt.

Wenn man es für angebracht hält, es auch für die Muttersprachen zu bearbeiten, verspricht es drei andere gute Dinge.

1. Anders, leichter als bisher, bringt es den Kindern das Lesen bei: mittels eines vorn angeführten symbolischen Alphabets in Form von Bildern, das heißt mittels eines Zeichens für einen Buchstaben und eines hinzugemalten Bildes des Lebewesens, dessen Stimme der Laut des gegenüberstehenden Buchstaben ähnlich ist. Schon beim bloßen Anblick des Lebewesens wird sich der Anfänger leicht an die Gültigkeit eines jeden Buchstaben erinnern, wenn der Sinn sich daran gewöhnt und die Gewohnheit sich festigt, werden die Dinge vom Verstand leicht erfasst.

Wenn wir uns auch die Tabelle der wichtigsten Silben durchsehen (wir hielten es nicht für notwendig, sie diesem Büchlein hinzuzufügen), kann man darangehen, sich die Bilder und die über ihnen angeführten Überschriften anzuschauen. Und hier sagt uns wieder allein der Anblick des gemalten Dinges den Namen des Dinges, erinnert uns daran, wie die Bezeichnung des Bildes gelesen werden soll. Und wenn das ganze Buch auf diese Art und Weise, über die Bezeichnungen der Bilder, durchgenommen wird, kann es nicht vorkommen, dass der Schüler nicht lesen lernt; wohlbemerkt ohne all das übliche lange Buchstabieren, ohne diese schwierige Sinnesquälerei, die man mit dieser Methode ganz vermeiden kann. Das wiederholte Lesen des Buches, auch mit den Beschreibungen unter den Bildern, vervollkommnet die Lesefertigkeit.

2. Wenn man dieses Büchlein in den Volksschulen in der Muttersprache durchnimmt, wird es dazu dienen, dass der Schüler diese Sprache vollkommen und von Grund auf lernt, weil in den oben angeführten Erläuterungen die Wörter und Wendungen der ganzen Sprache in geeigneter Weise angeordnet sind. Und man kann schließlich auch eine kurze Grammatik der Muttersprache anfügen, die die bereits begriffene Sprache deutlich analysieren würde, die zeigen würde, wie die Wörter gebeugt werden sollen, und die die bei der Wortverbindung angewendeten Regeln anführen würde.

3. Daraus ergibt sich ein neuer Nutzen, dass nämlich die Übersetzung in die Muttersprache einer leichteren und angenehmeren Aneignung der lateinischen Sprache dienen soll, wie auch aus dieser Herausgabe zu ersehen ist, in der das ganze Buch so übersetzt ist, dass überall Wort gegenüber Wort angeführt ist und die so zueinander gehören, dass dieses Buch in allem gleich ist, aber in verschiedenen Sprachen, ähnlich, als ob ein und derselbe Mensch in verschiedene Kleider gekleidet wäre. Und am Ende könnten eine Übersicht und Bemerkungen unter dem Gesichtspunkt angefügt werden, worin sich die lateinische Sprache von der Muttersprache unterscheidet. Denn wo kein Unterschied besteht, sind keine Bemerkungen nötig.

Weil die ersten Lektionen einfach sein sollen, haben wir in dieses Büchlein für das anfängliche Lernen nur grundlegende und dem kindlichen Verstand begreifliche Dinge und nur die wichtigsten Wörter aufgenommen, von deren Kenntnis die Erkenntnis der ganzen Welt, der ganzen Sprache und aller Dinge abhängt. Wenn jemand eine vollkommenere Beschreibung der Dinge und vollständigere Kenntnis der Sprache und klarere Erleuchtung des Geistes braucht (was wir ihm schuldig sind), findet er es anderswo, wohin er leicht mittels dieser unseren Sinnen zugänglichen Enzyklopädie gelangt.

Zur angenehmen Nutzung dieses Büchleins bleibt noch hinzuzufügen:

1. Geben Sie es den Jungen in die Hände, damit sie sich nach Belieben die Bilder anschauen und sich mit ihnen schon zu Hause möglichst gut bekanntmachen, noch bevor sie in die Schule gehen.

2. Dann fragen Sie sie oft (besonders schon in der Schule), was dies und jenes ist und wie es heißt, damit sie nichts sehen, was sie nicht benennen können, und damit sie nichts nennen, was sie nicht zeigen können.

3. Zeigen Sie ihnen die benannten Dinge nicht nur auf den Bildern, sondern auch in der Wirklichkeit, zum Beispiel die Körperteile, Bekleidung, Bücher, das Haus, Hausgeräte usw.

4. Gestatten Sie ihnen, wenn sie wollen, die Bilder auch mit eigener Hand nachzumalen, ja, spornen Sie sie an, damit sie es wollen; erstens damit auch so die Aufmerksamkeit gegenüber den Dingen geschärft wird, zweitens, damit sie sich des gegenseitigen Verhältnisses der Teile bewusst werden, und schließlich damit sie die Geschicklichkeit der Hand üben, die vielfach nützlich ist.

5. Wenn man einige hier erwähnte Dinge dem Auge nicht vorlegen kann, wird es sehr nützlich sein, sie den Schülern direkt vorzuführen, zum Beispiel die Farben oder Geschmäcke, die man hier nicht mit Druckerschwärze darstellen konnte. Aus diesem Grund wäre es wünschenswert, in jeder bedeutenderen Schule Sammlungen seltener und zu Hause nicht vorkommender Dinge aufzubewahren, damit man sie den Schülern zugleich zeigen kann, immer wenn sie erklärt werden sollen. Dann erst wäre diese Schule eine echte Schule der sinnlichen Welt, ein Vorspiel der Schule der Verstandeswelt. Aber schon genug, machen wir uns an die Arbeit.

To the reader

Education is a remedy for ignorance. It should therefore be administered to the minds of young people at school in its true, full, clear and solid form. Education is considered to be true if only what is beneficial to one's life is taught, in order that all later lamentation may be precluded for our ignorance of the necessary things, because we have not been taught them. Education is considered to be full if the pupil's mind is brought to wisdom, the tongue to eloquence, and the hands to the activities that they are expected to perform in life. This is the well-known grace of one's life, viz. to be wise and to act and speak wisely. Education is considered to be clear, thus also firm and solid, if all that is taught and learned is free from obscurity or confusion, clearly ordered, distinct and articulate, like the fingers of one's hand. The main thing is for sensual objects to be rightly presented to the senses first in order that they may be made comprehensible. I insist and emphasize that the latter principle is the basis of everything. For one can neither act nor speak wisely unless one understands rightly all that one is to do or speak about. Now, there is nothing in our understanding that has not passed through our senses. Exercising our senses in correct perception of differences between things means laying the foundations for all wisdom, all wise discourse and all wise acts in life. Since this is commonly neglected in schools, pupils are presented things that have not been properly introduced to the senses and are thus incomprehensible to them; it so happens that the process of instruction and learning poses problems and affords little benefit.

The schools have therefore been provided with a new aid, which visualizes and denominates all the main things in the world and all the activities of human life. In order that you, dear school-teachers, may use this aid freely, I will explain briefly what good it can be expected to bring.

The book, as you can see, is of no great bulk, but it contains a brief summary of everything substantial in the world and the whole language. It contains a richness of pictures, denominations and descriptions.

1. The pictures are representations of all the visible things (with invisible things also mentioned) of the whole world in the order in which they are presented to the learner in the Gate to Languages and with such completeness that nothing that is essential and necessary is omitted.

2. As its denomination, each picture is provided with an inscription summarizing the whole content in a general, all encompassing word.

3. The descriptions comment on the things visualized in the pictures, which are thus given their own proper denominations. Each of these denominations is assigned the same number as the respective thing represented, which indicates the mutual bond between the image and the denomination.

The layout and the arrangement of the booklet is sure, firstly to attract the pupils' interest, so that they will stop looking at school as torment, but a kind of pleasure. For it is well-known that boys, including those in their early childhood, delight in pictures and are willing to please their eyes with these sights. If we succeed in turning the scarecrows out of the gardens of wisdom, it will be very well worth the pains.

The book will also be used to stir up and to sharpen the pupils' attention. Because man's senses (as the leading factors in the process of cognition in childhood, the mind not having so far developed so as to be able to handle abstract notions) always seek suitable stimuli, and unless they find them, they weaken and tend to woolgather; whereas if they manage to find suitable stimuli, they grow merry, revive, and they willingly allow themselves to be attracted until they have thoroughly examined them. The present booklet will thus help to discipline boys (particularly those showing lower concentration ability) and to prepare them for further study.

And this leads us to the third good, viz. the boys attracted by the things and brought to observe them will acquire knowledge of the most essential things in the world surrounding them in a playful and amusing way. In short, it is hoped that the present book will make the study of the Vestibulum and the Gate to Languages (Ianua Linguarum) more pleasant, to which end it is also primarily intended.

And should a mother-tongue version of the book be deemed useful, three more merits could be adduced.

1. The book will afford a device for learning children to read more easily then hitherto, viz. with the help of the symbolical alphabet in the form of pictures printed in the introductory pages, i.e. the characters and the images of the creatures whose voices recall the sounds represented by the letters printed. A mere sight of the creature will help the beginner to identify the meaning of the respective letter. And when the pupil's mind has got used to it and the habit has become fully established, these things will easily reach the pupil's mind. If he also looks through the table of the most important syllables (which we did not consider necessary to include in the present edition of the book), he can proceed to view the pictures and the inscriptions over them. The mere sight of the thing represented in the drawing will suggest its name and will tell the pupil how the title of the picture is to be read. And after the book has been gone through in this way, no pupil will fail to learn to read, and nota bene, without that currently used syllabication, that tiresome torment of the mind, which this method can help to completely avoid. Repeated reading of the book, including the descriptions under the pictures, can greatly upgrade the reading skills of the learners.

2. If the mother-tongue version of the book is used in national schools, the pupils will be able to acquire complete knowledge of their mother tongue, including its foundations, because in the explanations given above, the words as well as the phrases, chosen from the whole range of the language, are most suitably arranged. A brief grammar of the mother tongue, analysing clearly the language already learnt, indicating how words are to be inflected, and giving the rules of how the words are to be linked with one another, can also be added.

3. And this leads us to still another benefit: translation into the mother tongue will make the process of acquisition of the Latin language easier and more pleasant, as witnessed in the present edition. Throughout the whole book each word and each phrase of the mother tongue is faced by its foreign equivalent, so that the book is one about everything, though in several idioms, which can be compared to one and the same person clad in different clothes. And at the end of the book a survey could be added of, and some comment on, where the Latin language differs from the mother tongue. For where there are no differences, no comment is needed.

Since the introductory lessons should be plain and simple, only the basic things, and those comprehensible to a child's understanding, have been included in this textbook of elementary reading, and the fundamental words upon the knowledge of which depends the cognition of the whole world, the command of the whole language and the knowledge of all things. Should somebody miss a more perfect description of things and seek fuller knowledge of the language and clearer enlightenment of his mind (which we do owe him), he could easily find it somewhere else with the help of our present encyclopedia fully accessible to the senses.

In the end let us add the following concluding remarks concerning the pleasant usage of the book.

1. Let the pupils have it, so that they may indulge in looking at the pictures and get acquainted with them as much as possible at home before they start going to school.

2. Then let them repeatedly be examined and asked (particularly at school) what this thing and that thing is and what it is called, so that they may know how to name all the things they can see and may point out all the things they name.

3. Let the pupils be shown the things named both in the pictures and in reality, for instance, the parts of the body, various articles of clothing, books, houses, kitchen utensils, etc.

4. They should also be allowed to redraw the pictures with their own hands, if they like, and their willingness should be encouraged, firstly in order that their attention to things may thus be enhanced, secondly in order that they may realize the mutual relationship between parts, and lastly in order that they may develop dexterity in handling things, which is immensely useful.

5. If some of the things here mentioned cannot be presented to the pupils' eyes, as for instance colours and tastes, which cannot be expressed with the help of the printer's ink, it will be very useful that they should be presented to the pupils directly. For this reason it would be desirable that every more distinguished school should possess collections of rare things as well as those that cannot be found in the respective country in order that the pupils may be shown these things whenever they are to be told about them. Only under these conditions would a school become a real school of the world of the senses, a prelude to a school of the intellectual world. But enough now, let us proceed to the subject itself.

К читателю

Противоядием невежеству является образование, которое умам молодым должна давать школа. Но образование это должно быть истинным, полным, ясным и прочным. Оно будет истинным, если преподаются и изучаются только полезные для жизни предметы, чтобы впоследствии не пришлось жаловаться: мы не знаем необходимого, ибо не научились необходимому. Оно будет полным, если ум приведёт к мудрости, язык - к красноречию, а рука научит необходимому в жизни нашей труду. Эти три вещи - разум, действие и речь - и есть соль жизни. Образование будет ясным, а тем самым основательным и прочным, если всё то, чему обучаем и учимся, будет не затемнённым или путанным, но ясным, упорядоченным и расчлененным, как пальцы руки. При этом главное, чтобы вещи, вни-маемые чувствами, вначале и воспринимались чувствами, дабы они могли быть правильно поняты. Я утверждаю и повторяю во всеуслышанье, что это требование есть основа основ.

Ведь в самом деле, мы не можем ни действовать, ни говорить разумно, если предварительно не поймём правильно всего, что делать мы должны, ни того, о чём нужно говорить. В нашем же разуме нет ничего такого, чего бы раньше не было в чувствах. Усердно упражнять чувства, правильно понимая различия между предметами - вот основы любой мудрости, всего мудрого красноречия и всех разумных жизненных действий и поступков. В школах, однако, этим обычно пренебрегают и ученикам подаются для изучения предметы, которых они не понимают, ибо по-настоящему не были восприняты чувствами. Отсюда труд обучения и изучения становится обременительным и плоды его незначительны.

И вот в ваших руках новое учебное пособие для школ! Рисунки и наименования всех основных в мире предметов, а в жизни действий. Для того, чтобы вы, дорогие учителя, без затруднений могли бы со своими учениками воспользоваться пособием, я вкратце объясню, каких хороших результатов можно ожидать от этой работы.

Книга, как видите, небольшая, но в ней - краткий обзор всего мира нас окружающего и всего существенного из языка, включая рисунки, наименования и описания предметов.

1. На рисунках изображены все видимые в мире вещи (включая и невидимые явления и предметы). Они представлены в том же порядке, как и в «Раскрытой книге языков», и с такою полнотой, что не опущено ничего существенного.

2. Наименованиями являются надписи и заголовки над каждым рисунком. Они обозначают предмет в совокупном наименовании.

3. Описания дают объяснения рисунка, выраженные соответствующими для каждого предмета названиями. Каждый предмет на рисунке и каждое наименование обозначены цифрами, которые указывают, какое название какому предмету принадлежит.

Оформленная таким образом книга, надеюсь, принесет пользу в следующем:

Во-первых, она привлечет к себе детей. Чтобы школа была для них не мучением, а удовольствием. Хорошо ведь известно, что дети с юных лет любят рисунки и с удовольствием рассматривают их. Если же мы добьемся того, что изгоним из садов мудрости все, что пугает детей, польза будет огромная.

Во-вторых, книга эта должна во все большей и большей мере заострять и привлекать внимание детей. Ведь чувства (а именно они главенствуют в детском возрасте, когда ум ещё не в состоянии охватить суть отвлеченных предметов и явлений) нуждаются в необходимых объектах, в случае отсутствия которых притупляются и скользят то туда, то сюда. Когда же им представляются надлежащие предметы и явления, они веселеют, оживляются и с удовольствием вникают в них до полного понимания их сути. Таким образом, эта книга сделает доброе дело детским умам (особенно рассеянным), подготавливая их к дальнейшим занятиям.

Отсюда вытекает и третье преимущество пособия: дети, привлеченные рисунками, игрой и шутками, получат знания о важнейших предметах и явлениях в мире. Одним словом, эта книжка поможет с большим удовольствием изучать и «Преддверие», и «Дверь языков», также предназначенных для начального обучения.

В случае, если эта книга будет изложена на родных языках, можно ожидать три следующих преимущества.

1. Она даст детям более легкий способ научиться читать, чем это было до сих пор. Это достигается предпосланным книге символическим алфавитом в виде рисунков: даны формы отдельных букв, а к ним изображения тех живых существ, издаваемый которыми звук передается той или иной буквой. При первом же взгляде на животное ребенок легко вспомнит, как произносится соответствующая буква, и в конце концов его воображение, закрепленное упражнениями, поможет ему быстро запомнить все буквы. Рассмотрев затем таблицу первоначальных слогов (включение которой в книгу мне, однако, не представляется необходимым), учащийся сможет перейти к рассмотрению рисунков и напечатанных над ними надписей. Здесь снова самое рассматривание нарисованного предмета, вызвав в уме его наименование последнего, напомнит ему, как нужно прочитать заглавие рисунка. Пройдя таким образом всю книгу, учащийся невольно научится читать посредством одних только заголовков к рисункам и при этом без длительных упражнений в складах, этой тяжкой муки детских умов, которая целиком будет устранена этим методом. Повторное же чтение книги с приложенными к рисункам описаниями предметов поможет учащемуся полностью овладеть искусством чтения.

2. Эта же книга, если проходить её в национальных школах на родном языке, поможет изучению этого родного языка в самой его основе, так как через описания предметов приведены слова и выражения всего языка в их наиболее целесообразном применении. В конце книги можно приложить краткую грамматику родного языка, которая ясно разбивает уже понятую речь на её части, показывает изменения отдельных слов и приводит правила их сочетания.

3. Отсюда вытекает ещё одно преимущество: перевод на родной язык поможет более быстрому и занимательному изучению языка латинского. Как можно видеть и в этом издании, вся книжка переведена так, что всюду (родное) слово соответствует по месту слову (латинскому). Одна и та же книга, но только изложенная на двух языках, словно человек, одетый в двойную одежду. В конце можно было бы привести и кое-какие наблюдения и замечания, но лишь в том случае, если латинский способ выражения отступает от родного. Ибо там, где нет никаких отличий, нет нужды и в замечаниях.

Так как первые задания учащимся должны быть небольшими и несложными, то эту первую книгу наглядного обучения мы наполнили только основными знаниями, т.е. самыми главными предметами и словами, являющимися базисом нашего языка и нашего разумения вещей. А кто будет стремиться к более совершенному описанию вещей и к более полному знанию языка, к большему просвещению ума своего (как это и следует), тот найдёт все это в других книгах, перейти к которым будет нетрудно через эту нашу энциклопедию доступным чувствам предметов.

Остаётся сказать ещё несколько слов о том, с каким удовольствием дети будут пользоваться этой книгой.

1. Дайте им её в руки, чтобы они забавлялись рассматриванием картинок, чтобы эти картинки стали им хорошо знакомы ещё дома, прежде чем они пойдут в школу.

2. Спрашивайте их почаще (в особенности уже в школе), какой предмет изображен на том или другом рисунке и как он называется. Пусть дети не видят ничего, чего бы не могли назвать, и пусть они ничего не называют, чего бы не могли показать.

3. Названные же вещи показывайте детям не только на рисунках, но и в реальности, например, члены тела, одежду, книги, дом и предметы домашнего обихода и т.д.

4. Позволяйте им также срисовывать рисунки, если они захотят. Мало того, побуждайте их к тому, чтобы они этого захотели. Во-первых, это также заострит их внимание к вещам. Во-вторых, они станут наблюдать взаимные пропорции между отдельными частями вещей. Наконец, они будут развивать этим ловкость рук, что полезно во многих отношениях.

5. Если некоторые вещи, о которых упоминается в этой книге, не могут быть представлены наглядно, то было бы очень хорошо представить их детям в реальности, - например, цвета, запахи, которые здесь не могут быть изображены чернилами. Поэтому было бы желательно, чтобы в каждой хорошей школе хранились заранее заготовленные редкие и дома не встречающиеся вещи, дабы всякий раз, когда о них нужно говорить ученикам, они вместе с тем могли быть им предоставлены. Только тогда эта школа была бы действительно школой или театром видимого мира, преддверием школы интеллектуальной. Довольно, однако, перейдём к делу!

1

Invitatio

M. Veni, puer, disce sapere! *P.* Quid hoc est, sapere? *M.* Omnia, quae necessaria, rectè intelligere, rectè agere, rectè eloqui. *P.* Quis me hoc docebit? *M.* Ego cum Deo. *P.* Quomodo? *M.* Ducam te per omnia, ostendam tibi omnia, nominabo tibi omnia. *P.* En adsum! Duc me in nomine Dei! *M.* Ante omnia debes discere simplices sonos, ex quibus constat sermo humanus: quos animalia sciunt formare et tua lingva scit imitari et tua manus potest pingere. Postea ibimus in mundum et spectabimus omnia. Hic habes vivum et vocale alphabetum.

Úvod

Učitel: Pojď, chlapče, uč se být moudrý.

Chlapec: Co je to být moudrým?

U.: Vše, co je třeba, dobře znát, dobře dělat, dobře říci.

Ch.: Kdo mne tomu naučí?

U.: Já, s Boží pomocí.

Ch.: Jak?

U.: Provedu tě všude, ukážu ti všechno, pojmenuji ti vše.

Ch.: Tady jsem, veď mne ve jménu Božím.

U.: Především se musíš naučit jednoduchým zvukům, z nichž se skládá lidská řeč, zvuky, které zvířata umějí vydávat a tvůj jazyk umí napodobit a tvá ruka může namalovat. Potom půjdeme do světa a prohlédneme si vše. Živou a hlasitou abecedu máš zde:

Einleitung

Lehrer: Komm her, Knabe, lerne klug sein!

Knabe: Was ist das, klug sein?

L.: Alles, was nötig ist, gut zu kennen, richtig zu tun, richtig zu sagen.

K.: Wer lehrt mich das?

L.: Ich, mit Gottes Hilfe.

K.: Wie?

L.: Ich werde dich überall hinführen, dir alles zeigen, dir alles benennen.

K.: Hier bin ich! Führe mich in Gottes Namen!

L.: Vor allem musst du die einfachen Laute lernen, aus denen die menschliche Sprache besteht, Laute, die die Tiere hervorbringen können und deine Zunge nachahmen und deine Hand malen kann. Dann wollen wir in die Welt gehen und uns alles anschauen. Hier hast du ein lebendiges und lautes Alphabet:

Introduction

Введение

Teacher: Come, boy. Learn to be wise.

Boy: What does to be wise mean?

T.: To understand well, to do and to express well all that is necessary.

B.: Who will teach me this?

T.: I, with God's help.

B.: How?

T.: I will guide you everywhere, I will show you everything, I will name you everything.

B.: Here I am. Lead me in the name of the Lord.

T.: Before all things, you ought to learn the plain sounds of which man's speech consists and which the living creatures know how to make and your tongue knows how to imitate and your hand can picture. Then we will go into the world and view all things. Here you have a live and vocal alphabet:

Учитель: Пойди-ка сюда, мальчик. Научись уму-разуму.

Мальчик: Что это значит - уму-разуму?

У: Всё, что необходимо, правильно высказывать.

М: Кто меня этому научит?

У: Я с божьей помощью.

М: Каким способом?

У: Я поведу тебя повсюду, покажу тебе всё, назову тебе всё.

М: Я готов. Веди меня во имя божье.

У: Прежде всего ты должен изучить простые звуки, из которых состоит человеческая речь, которые животные умеют издавать и которым твой язык умеет подражать, и твоя рука умеет изображать. Затем мы пойдём по свету и посмотрим всё. Вот перед тобой живая и звуковая азбука.

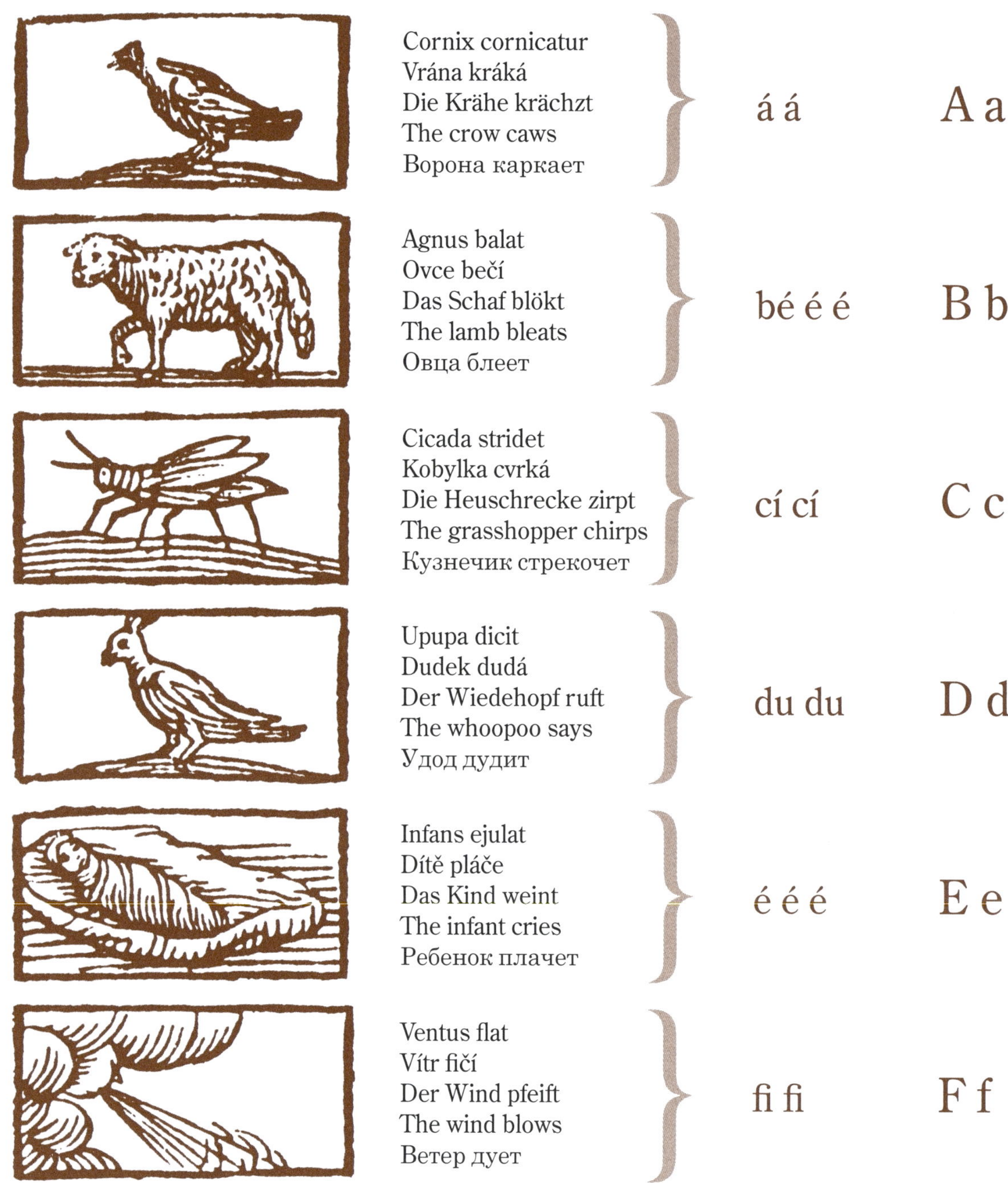

Cornix cornicatur
Vrána kráká
Die Krähe krächzt
The crow caws
Ворона каркает

á á — A a

Agnus balat
Ovce bečí
Das Schaf blökt
The lamb bleats
Овца блеет

bé é é — B b

Cicada stridet
Kobylka cvrká
Die Heuschrecke zirpt
The grasshopper chirps
Кузнечик стрекочет

cí cí — C c

Upupa dicit
Dudek dudá
Der Wiedehopf ruft
The whoopoo says
Удод дудит

du du — D d

Infans ejulat
Dítě pláče
Das Kind weint
The infant cries
Ребенок плачет

é é é — E e

Ventus flat
Vítr fičí
Der Wind pfeift
The wind blows
Ветер дует

fi fi — F f

Anser gingrit
Husa kejhá
Die Gans schnattert
The goose gaggles
Гусь гогочет

ga ga G g

Os halat
Ústa dýchají
Der Mund atmet
The mouth exhales
Рот дышит

háh háh H h

Mus mintrit
Myš piští
Die Maus piept
The mouse peeps
Мышь пищит

í í í I i

Anas tetrinnit
Kachna káchá
Die Ente schnattert
The duck quacks
Утка крякает

kha kha K k

Lupus ululat
Vlk vyje
Der Wolf heult
The wolf howls
Волк воет

lu ulu L l

Ursus murmurat
Medvěd mručí
Der Bär brummt
The bear grumbles
Медведь ворчит

mum mum M m

Felis clamat
Kočka mňouká
Die Katze miaut
The cat mews
Кошка мяукает

nau nau — N n

Auriga clamat
Vozka volá
Der Fuhrmann ruft
The carter shouts
Возчик погоняет

ó ó ó — Oo

Pullus pipit
Kuře pípá
Das Kücken piept
The chicken peeps
Цыплёнок пищит

pi pi — P p

Cuculus cuculat
Kukačka kuká
Der Kuckuck ruft
The cuckoo calls
Кукушка кукует

kuk ku — K k

Canis ringitur
Pes vrčí
Der Hund knurrt
The dog growls
Собака рычит

err — R r

Serpens sibilat
Had syčí
Die Schlange zischt
The serpent hisses
Змея шипит

sí — S s

Graculus clamat Kavka kráká Die Dohle krächzt The jackdaw cries Галка кричит	tae tae	T t
Bubo ululat Sova houká Die Eule heult The owl hoots Сова угукает	ú ú	U u
Lepus vagit Zajíc vřeští Der Hase quäkt The hare squeals Заяц визжит	vá	V v
Rana coaxat Žába kváká Das Frosch quakt The frog croaks Лягушка квакает	coax	X x
Asinus rudit Osel hýká Der Esel iaht The donkey brays Осёл кричит	y y y	Y y
Tabanus dicit Ovád bzučí Die Bremse summt The horsefly buzzes Овод жужжит	ds ds	Z z

2

I

Deus

Deus est ex seipso ab aeterno in aeternum, perfectissimum et beatissimum esse (ens): essentiâ spiritualis et unus, hypostasi trinus. Voluntate sanctus, justus, clemens, verax; potentiâ maximus, bonitate optimus, sapientiâ immensus. Lux inaccessa, et tamen omnia in omnibus; ubique et nullibi: summum bonum et solus inexhaustus fons omnis boni. Omnium rerum, quas vocamus mundum, ut creator, ita et gubernator et conservator.

Bůh

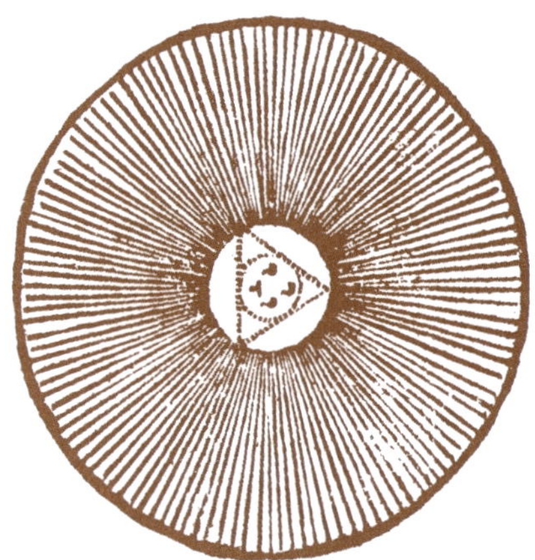

Bůh je sám ze sebe od věků do věků nejdokonalejší a nejblaženější bytí: duchovní podstatou je jeden, hypostasí trojí (ve trojí osobě). Svou vůlí je svatý, spravedlivý, milostivý, pravdivý. Svou mocí je největší, dobrotou nejlepší, moudrostí nezměřitelný. Je světlo nedostupné, všechno, a přece všechno ve všem, všude a nikde. Je absolutní dobro a jediný nevyčerpatelný zdroj všeho dobra. Je stvořitel všech věcí, které nazýváme svět, a je jejich správce a udržovatel.

Gott

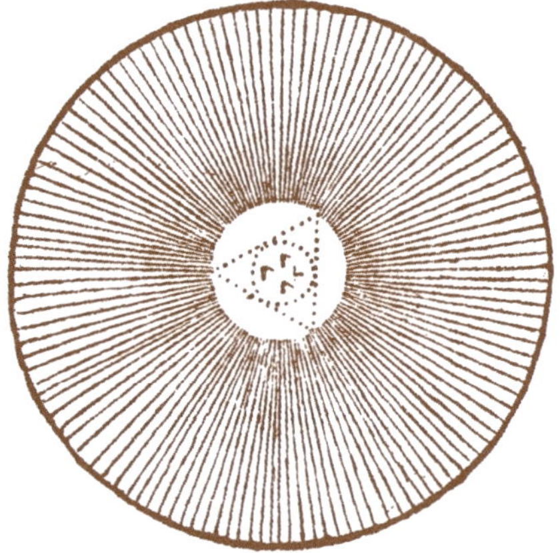

Gott existiert aus sich selbst von Ewigkeit zu Ewigkeit, das vollkommenste und seligste Sein. In seinem geistigen Wesen ist er einzigartig, in dreierlei Gestalt. In seinem Willen ist er heilig, gerecht, gnädig und wahrhaftig. In seiner Macht ist er der größte, in seiner Güte der beste, weiseste und unermesslichste. Er ist ein unerreichbares Licht, alles und doch alles in allem, überall und nirgends. Er ist die absolute Güte und die einzige unerschöpfliche Quelle von allem. Er ist der Schöpfer aller Dinge, die wir die Welt nennen, und ihr Verwalter und Erhalter.

God

Бог

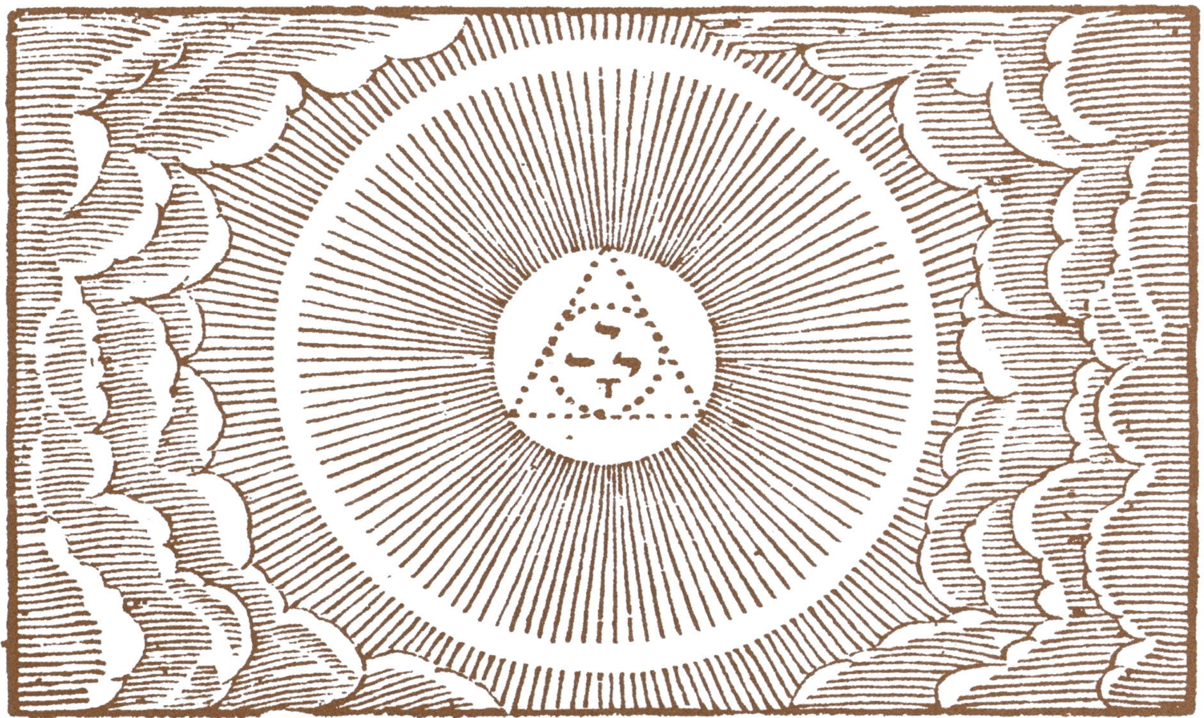

Throughout all ages God in Himself is the most perfect and most blissful being: and in His spiritual essence He is One, hypostatized in three entities. He is just, gracious and saintly in His will. In His might He is supreme. In His goodness He is the best and in His wisdom immense. He is the light unattainable, the all, yet the all in the all, everywhere and nowhere. He is the absolute goodness and the only inexhaustible source of all goodness. He is the creator of all the objects called the world, an He is their supervisor and keeper.

Бог исходит из самого себя, от вечности в вечность, является всесовершенным и всеблаженным существом. Сущностью он духовный и единый, в лицах он троичный. Волею своей он свят, справедлив, милостив, правдив. Могуществом величайший, добродетелью всеблагой, мудростью неизмерим. Бог есть Свет, Свет неприступный, и, однако, все во всем, везде и нигде. Высшее благо и всяких благ источник, единый и неисчерпаемый. Всех вещей, которые мы называем мир, как творец, так и правитель и хранитель.

3

II

Mundus Coelum[1] habet ignem, stellas. Nubes[2] pendent in aëre. Aves[3] volant sub nubibus. Pisces[4] natant in aquâ. Terra habet montes[5], sylvas[6], campos[7], animalia[8], homines[9]. Ita sunt plena habitatoribus suis quatuor elementa, quae sunt mundi maxima corpora.

Svět

Nebe[1] má oheň, hvězdy. Oblaka[2] se vznášejí v povětří. Ptáci[3] létají pod oblaky. Ryby[4] plavou ve vodě. Země má hory[5], lesy[6], pole[7], zvířata[8], lidi[9]. Tak jsou plny svých obyvatel čtyři živly, které jsou základní součásti světa.

Die Welt

Der Himmel[1] hat das Feuer, die Sterne. Die Wolken[2] schweben in der Luft. Die Vögel[3] fliegen unter den Wolken. Die Fische[4] schwimmen im Wasser. Die Erde hat Berge[5], Wälder[6], Felder[7], Tiere[8], Menschen[9]. So sind die vier Elemente, die die Grundbestandteile der Welt sind, voll von ihren Bewohnern.

The world

Мир

The sky[1] has fire, stars. Clouds[2] hover in the air. Birds[3] fly under the clouds. Fish[4] swim in the water. The earth has mountains[5], woods[5], fields[7], animals[8], people[9]. The four elements are thus full of their inhabitants. They are the fundamental parts of the world.

Небо[1] содержит в себе огонь и звезды. Облака[2] несутся по воздуху. Птицы[3] летают под облаками. Рыбы[4] плавают в воде. На земле есть горы[5], леса[6], поля[7], животные[8], люди[9]. Так полны своими обитателями четыре стихии, которые являются основной составной частью света.

XXXVI

Septem aetates hominis

Homo est primùm infans[1], deinde puer[2], tum adolescens[3], inde juvenis[4], posteà vir[5], dehinc senex[6], tandem silicernium[7]. Sic etiam in altero sexu sunt pupa[8], puella[9], virgo[10], mulier[11], vetula[12], anus decrepita[13].

Sedmero věků člověka

Člověk je nejprve dítě[1], potom chlapec[2], pak mládenec[3] (mladík, adolescent), dále mladý muž[4], později muž[5], potom starý muž[6], konečně sešlý stařec[7]. Tak také u druhého pohlaví je děvčátko[8], děvče[9], dívka[10], žena[11], stará žena (stařena)[12], sešlá babička[13].

Die sieben Alter des Menschen

Der Mensch ist zuerst ein Kind[1], dann ein Junge[2], dann ein Jüngling[3], weiter ein junger Mann[4], später ein Mann[5], dann ein alter Mann[6], schließlich ein gebrechlicher Greis [7]. So ist es auch beim anderen Geschlecht zuerst ein kleines Mädchen[8], ein Mädchen[9], eine junge Frau[10], eine Frau[11], eine alte Frau (Greisin)[12], eine gebrechliche Großmutter[13].

Man's seven ages

Семь возрастов человека

First, man is a child[1], then a boy[2], then a youngster[3] (a youth, an adolescent), then a young man[4], later on a man[6], and still later an old man[6], finally a decrepid old man[7]. The same for the other sex: a little girl[8], a girl[9], a lass[10], a woman[11], and old woman[12], a decrepid grandmother[13].

Человек сначала бывает младенцем[1], затем мальчиком[2], потом отроком[3], затем юношей[4], после этого мужчиной[5], затем стариком[6] и, наконец, дряхлым стариком[7]. Такое же наблюдается у другого пола: бывает младенец-девочка[8], девочка[9], девушка[10], женщина[11], пожилая женщина[12], бабушка, дряхлая старуха[13].

5

XLI

Sensûs externi et interni

Externi sensûs sunt quinque. Oculus[1] videt colores, quid album vel atrum, viride vel coeruleum, rubrum aut luteum sit. Auris[2] audit sonos, tam naturales, voces et verba, quàm artificiales, tonos musicos. Nasus[3] olfacit odores et foetores. Lingva[4] cum palato gustat sapores, quid dulce aut amarum, acre aut acidum, acerbum aut austerum. Manus[5] dignoscit tangendo rerum quantitatem et qualitatem; calidum et frigidum; humidum et siccum; durum et molle; laeve et asperum; grave et leve. Sensus interni sunt tres. Sensus communis[7] sub sincipite apprehendit à sensibus externis perceptas res. Phantasia[6] sub vertice dijudicat res istas, cogitat, somniat. Memoria[8] sub occipitio singula recondit et depromit; quaedam deperdit, et hoc est oblivio. Somnus est requies sensuum.

Vnější a vnitřní smysly

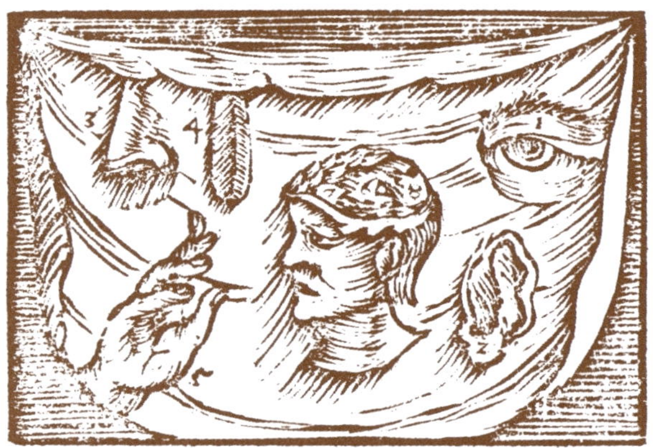

Vnějších smyslů je pět. Oko[1] vidí barvy, co je bílé nebo černé, zelené nebo modré, červené nebo žluté. Ucho[2] slyší zvuky, jak přirozené (hlasy, řeč a slova), tak umělé (hudební zvuky). Nos[3] cítí vůně a pachy. Jazyk[4] s patrem ochutnává, co je sladké nebo hořké, peprné nebo kyselé, trpké či ostré. Ruka[5] rozlišuje dotekem velikost a jakost věcí, teplé a studené, vlhké a suché, tvrdé a měkké, hladké a drsné, těžké a lehké.

Vnitřní smysly jsou tři. Smysl pospolný[7] (pod přední částí hlavy) chápe věci vnímané vnějšími smysly. Myšlení[6] (pod temenem hlavy) posuzuje věci, přemýšlí a mívá sny. Paměť[8] (pod týlem hlavy) každou věc uchovává a znovu vydává, něco zapomíná. Spánek je odpočinek smyslů.

Äußere und innere Sinne

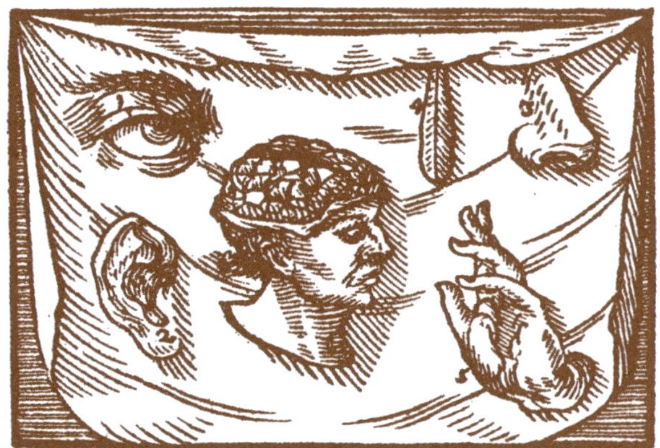

Es gibt fünf äußere Sinne. Das Auge[1] sieht Farben, was weiß oder schwarz, grün oder blau, rot oder gelb ist. Das Ohr[2] hört Geräusche, sowohl natürliche (Stimmen, Rede und Worte), als auch künstliche (Musiktöne). Die Nase[3] riecht Düfte und Gerüche. Die Zunge[4] mit dem Gaumen schmeckt, was süß oder bitter ist, gepfeffert oder sauer, bitter oder scharf. Die Hand[5] unterscheidet durch die Berührung die Größe und Beschaffenheit der Dinge, Warmes und Kaltes, Feuchtes und Trockenes, Hartes und Weiches, Glattes und Raues, Schweres und Leichtes.

Innere Sinne sind drei. Die allgemeine Empfindung[7] (im Vorderteil des Kopfes) begreift die mit den äußeren Sinnen wahrgenommenen Dinge. Das Denken[6] (unter dem Kopfscheitel) beurteilt die Dinge, denkt nach und hat Träume. Das Gedächtnis[8] (im Hinterkopf) bewahrt und gibt es wieder, etwas vergisst es. Der Schlaf ist die Entspannung der Sinne.

The outer and inner senses

Внешние и внутренние чувства

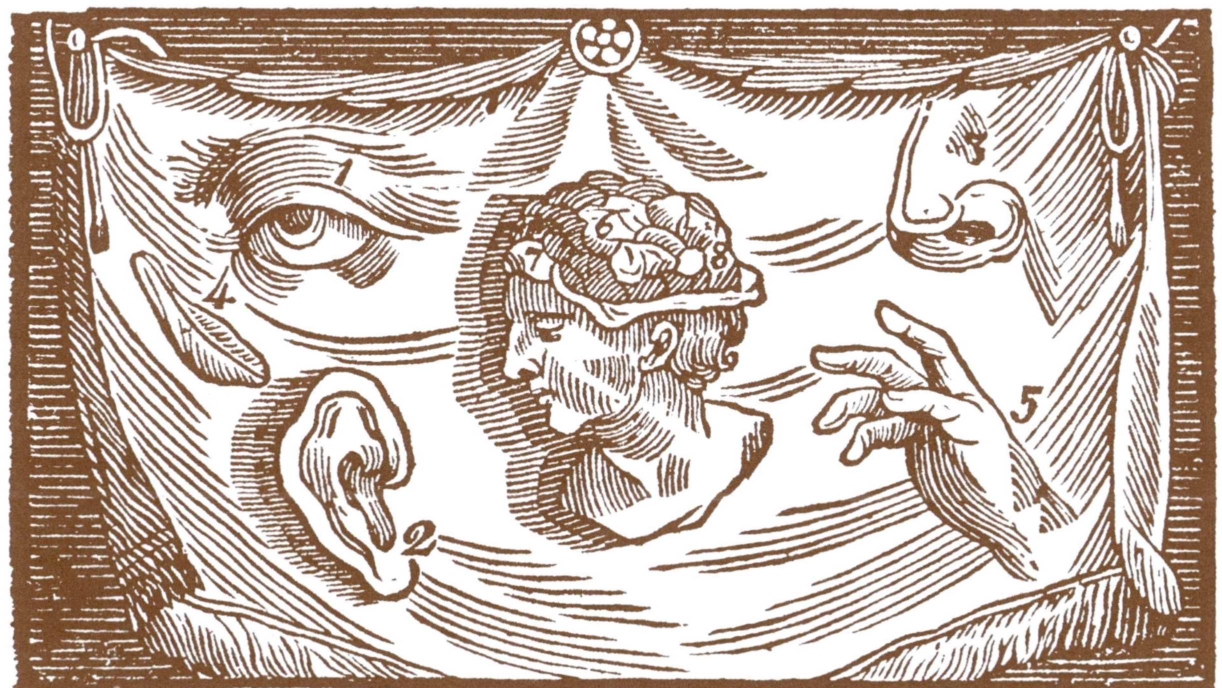

There are five outer senses. The eye[1] sees colours, what is white or black, green or blue, red or yellow. The ear[2] hears sounds, natural (voices, speech and words) and artificial (musical sounds). The nose[3] smells scents and stenches. The tongue[4] with the palate tastes what is sweet or bitter, peppery or sour, acrid or sharp. The hand[5] distinguishes by touch the extent and quality of things, warm and cold, moist and dry, hard and soft, smooth and rough, heavy and light.

There are three internal senses. The sense of sociability[7] (under the foremost part of the head) takes in the things perceived by the external senses. Thinking[6] (under the top of the head) evaluates things, ponders and usually has dreams. Memory[8] (under the back of the sculp) stores everything and releases it again, it forgets something. Sleep is the repose of the senses.

Внешних чувств всего пять. Глаз[1] видит цвета, и различает, что белое и что черное, зеленое и синее, красное и желтое. Ухо[2] слышит звуки, как естественные (голоса, речь и слова), так и искусственные звуки (музыкальные тоны). Нос[3] обоняет приятные и неприятные запахи. Язык[4] с небом различает вкусы, какой из них сладкий или горький, острый или кислый, терпкий или резкий. Рука[5] различает посредством осязания количество и качество предметов, различает, что горячее и холодное, влажное и сухое, твердое и мягкое, гладкое и шероховатое, тяжелое и легкое.

Внутренние чувства существуют три: общее чувство[7] (находящееся под черепной крышкой) схватывает от внешних чувств воспринятые предметы. Мышление[6] (под теменем головы) разбирает эти предметы, размышляет и создает сны. Память[8] (в затылке головы) сохраняет отдельные знания и снова их воспроизводит, а некоторые теряет, и эта потеря есть забвение. Сон – это покой чувств.

XLIV

Hortorum cultura Hominem vidimus; jam pergamus ad victum hominis et ad mechanicas artes, quae huc faciunt. Primus et antiquissimus victus erant terrae fruges: hinc etiam primus labor Adami, horticultura. Hortulanus (olitor)[1] in viridario fodit ligone[2] aut bipalio[3] facitque pulvinos[4] ac plantaria[5]; quibus infert semina et plantas. Arborator[6] in pomario plantat arbores[7] inseritque surculos[8] viviradicibus[9]. Hortum sepit vel cura muro[10] aut macerie[11] aut vacerrâ[12] aut plancis[13] aut sepe[14], quae flexa è sudibus et vitilibus; vel natura dumis et vepribus[15]. Ornatur ambulacris[16] et pergulis[17]. Rigatur fontanis[18] et harpagio[19].

Zahradnictví

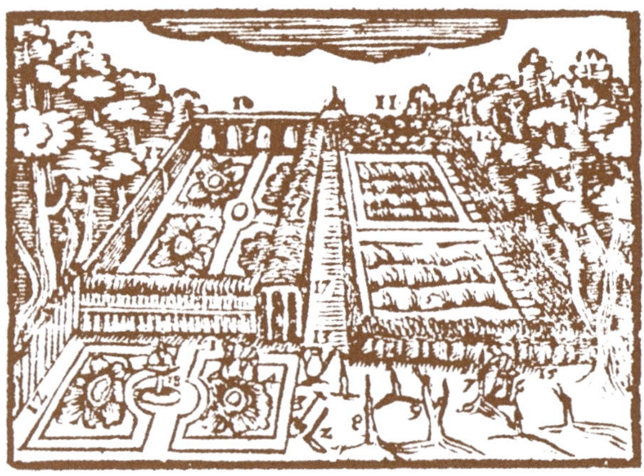

První a nejstarší potravou bývaly plody země, a tedy první prací Adamovou bylo zahradnictví.

Zahradník[1] v zahradě ryje rýčem[2] nebo kope motykou[3] a dělá záhony[4] a řádky[5], do nichž seje semena a sází sazenice. Sadař[6] v sadu sází stromy[7] a štěpuje rouby[8] na pláňky[9].

Zahradu člověk ohrazuje zdí[10] nebo lepenicí[11] nebo tyčkami[12] nebo ohradou z prken[13] nebo plotem[14] z tyček a proutí, nebo je zahrada ohrazena od přírody křovím a trním[15]. Ozdobena bývá promenádami[16] a besídkami[17]. Zalévá se z kašen[18] kropicí konví[19].

Der Gartenbau

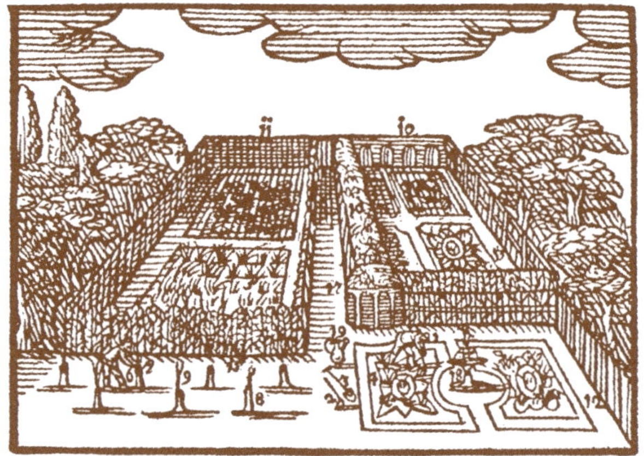

Die erste und älteste Nahrung waren die Früchte der Erde und deshalb war die erste Arbeit Adams der Gartenbau.

Der Gärtner[1] gräbt im Garten mit dem Spaten[2] oder hackt mit der Hacke[3] und macht Beete[4] und zieht Reihen[5], in die er Samen sät und Setzlinge pflanzt. Der Obstgärtner[6] pflanzt Obstbäume[7] im Obstgarten und pfropft die Edelreise[8] auf die Wildlinge[9].

Den Garten umzäunt der Mensch mit einer Mauer[10] oder Lehmwand[11] oder mit Pfählen[12] oder einem Lattenzaun[13] oder mit einem Zaun[14] aus Pfählen und Reisig, oder er ist von Natur aus umzäunt mit einer Hecke und Dorngebüsch[15]. Geschmückt ist der Garten mit schmalen Wegen[16] und Gartenlauben[17]. Er wird aus Brunnen[18] mit der Gießkanne[19] gesprengt.

Gardening

Огородничество

The first and the most ancient sustenance were the fruits of the earth. So gardening was Adam's first labour.

The gardener[1] digs in a garden with a spade[2] or mattock[3] and makes beds[4] and rows[5], wherein he sows seed and plant seedlings.

The fruit-grower[6] plants trees[7] in an orchard and grafts scions[8] on stocks[9]. Man encloses his garden with a stone-wall[10] or mud-wall[11] or pales[12] or a fence of planks[13] or pales[14] and wicker; or the garden is hedged from nature with shrubs and brambles[15]. It is beautified with paths[16] and arbours[17]. It is watered from fountains[18] with watering cans[19].

Первой и древнейшей пищей были плоды земные. Отсюда и первым трудом Адама было огородничество.

Огородник[1] в огороде копает землю заступом[2] или мотыгой[3] и делает грядки[4] и рассадники[5], в которые сажает семена и саженицы. Садовник[6] в фруктовом саду сажает деревья[7] и прививает черенки[8] к дичкам другух деревьев[9].

Человек ограждает сад стеной[10] или каменным забором[11], забором из кольев[12], досками[13], плетнём[14], сплетенным из кольев и хвороста; или же его ограждает природа кустарником и терновником[15]. Украшают сад дорожками[16] и беседками[17]. Орошают сад фонтанами[18] и лейками[19].

7

XLV

Agricultura Arator[1] jungit boves[3] aratro[2] et tenens laevâ stivam[4], dextrâ rallam[5], quâ amovet glebas[6], scindit terram vomere et dentali[7], quae anteâ fimo[8] est stercorata; facitque sulcos[9]. Tum seminat semen[10] et inoccat occâ[11]. Messor[12] metit maturas fruges falce messoriâ[13], colligit manipulos[14] et colligat mergetes[15]. Tritor[16] in areâ horrei[17] triturat frumentum flagello (tribulâ)[18], jactat ventilabro[19] atque ita, cùm palea est separata et stramen[20], congerit in saccos[21]. Foeniseca[22] in prato facit foenum, desecans gramen falce foenaria[23], corraditque rastro[24], componit acervos[26] furcâ[25] et convehit vehibus[27] in foenile[28].

Zemědělství

Oráč[1] zapřahá voly[3] do pluhu[2] a drže levou ruku kleč[4], pravou otku[5], kterou odhrnuje hroudy[6], oře krojidlem a radlicí[7] zemi, která před tím mrvou[8] byla pohnojena, a dělá brázdy[9]. Pak seje semeno[10] a zavlačuje bránami[11].

Žnec[12] žne zralé obilí srpem[13], sbírá hrsti[14] a váže snopy[15]. Mlatec[16] na humně[17] mlátí obilí cepem[18], přehazuje lopatou[19], a tak když se oddělily plevy a sláma[20], sype je do pytlů[21].

Sekáč[22] na louce seká trávu kosou[23], shrabuje hráběmi[24], seno dává podávkami[25] do kup[26] a na vozech[27] sváží do seníku[28].

Der Ackerbau

Der Ackermann[1] spannt die Ochsen[3] vor den Pflug[2] und, mit der linken Hand den Pflugsterz[4], mit der rechten die Pflugreute[5] haltend, mit der er die Erdschollen[6] beiseiteschiebt, pflügt er mit dem Pflugmesser und der Pflugschar[7] die Erde, die zuvor mit Mist[8] gedüngt wurde, und zieht Furchen[9]. Dann sät er den Samen[10] und eggt ihn mit der Egge[11] ein. Der Schnitter[12] mäht das reife Getreide mit der Sichel[13], nimmt die Schwaden[14] auf und bindet Garben[15] Der Drescher[16] drischt auf der Tenne[17] das Korn mit dem Dreschflegel[18], wirft es mit der Wurfschaufel[19], und wenn die Spreu und das Stroh[20] abgetrennt sind, schüttet er es in Säcke[21].

Der Mäher[22] mäht das Gras auf der Wiese mit der Sense[23], recht das Heu mit dem Rechen[24] zusammen, macht Schober[26] mit der Heugabel[25] und fährt es mit Wagen[27] in den Heuschober[28].

Tillage

The ploughman[1] yokes oxen[3] to a plough[2] and holding the plough stilt[4] in his left hand and a plough stick[5] in his right hand, with which he removes clods[6], he ploughs the ground which has been manured with dung[8] with a share[7] and a coulter thus making furrows[9]. Then he sows the seed[10] and harrows it with a harrow[11].

The reaper[12] reaps ripe corn with a sickle[13], gathers up the handfuls[14] and binds the sheaves[15]. The thrasher[16] thrashes corn on the barn floor[17] with a flail[18], tosses it with a winnowing-shovel[19], and so when the chaff and the straw[20] have been separated from it, he puts it into sacks[21].

The mower[22] makes hay in a meadow cutting down grass with a scythe[23] and rakes it together with a rake[24], he makes up cocks[26] with a fork[25] and carries it on waggons[27] into the hay-barn[28].

Земледелие

Пахарь[1] запрягает волов[3] в плуг[2] и, держа левой рукой рукоятку плуга[4], правой - лопатку[5], которой сбивает с плуга комья[6], рассекает сошником и оралом[7] землю, которая перед этим была удобрена навозом[8], и проводит борозды[9]. Затем он высевает семена[10] и скородит бороной[11].

Жнец[12] жнёт созревшие хлеба серпом[13], собирает стебли[14] и вяжет их в снопы[15]. Молотильщик[16] на току гумна[17] молотит хлеба цепом[18], перебрасывает зерно лопаткой[19] и, таким образом, отделив его от мякины и соломы[20], насыпает его в мешки[21].

Косец[22] на лугу косит сено косой[23], сгребает его граблями[24], складывает в стога[26] вилами[25] и свозит на телегах[27] в сенной сараи[28].

8

XLVI

Pecuaria Agrorum cultus (agricultura) et res pecuaria erat antiquissimis temporibus regum et heroum, hodie est tantùm infimae plebis cura. Bubulcus[1] evocat armenta[2] è bovilibus[3] buccinâ (cornu)[4] et ducit pastum. Opilio (pastor)[5] pascit gregem[6] instructus fistulâ[7] et perâ[8], ut et pedo[9], habens secum molossum[10], qui munitus est contra lupos millo[11]. Sues[12] saginantur ex aqualiculo harae. Villica[13] mulget ubera[14] vaccae ad praesepe[15] super mulctrâ[16] et facit in vase butyraceo[17] butyrum è flore lactis et è coagulo caseos[18]. Ovibus detondetur lana[19], ex qua conficiuntur variae vestes.

Chov dobytka

Za starodávna se orbou a dobytkářstvím zabývali králové a rekové, nyní je má na starosti pouze nejnižší stav.

Pastýř[1] vyvolává skot[2] z chlévů[3] troubou[4] a žene na pastvu. Ovčák[5] pase brav[6]; má píšťalu[7] a brašnu[8], pastýřskou hůl[9] a psa[10], který je proti vlkům chráněn ostnatým obojkem[11].

Vepř[12] se krmí z koryta ve chlívku.

Selka[13] dojí vemena krávy[14] do dížky[16] u jeslí[15] a tluče v máselnici[17] ze smetany máslo a dělá ze ssedlého mléka sýr[18].

Ovcím se stříhá vlna[19] a z ní se dělají různé šaty.

skot – hovězí dobytek (kráva, býk, vůl)
brav – menší hospodářský dobytek (vepři, ovce, kozy)
dížka – nádoba na mléko

Die Viehzucht

Mit Ackerbau und Viehzucht beschäftigten sich in alten Zeiten die Könige und Recken, jetzt ist es allein das Anliegen des niedrigsten Standes. Der Hirte[1] ruft das Rindvieh[2] mit einem Horn[4] aus den Ställen[3] und treibt es auf die Weide. Der Schäfer[5] weidet das Kleinvieh[6]; er hat eine Pfeife[7] und eine Tasche[8], einen Hirtenstab[9] und einen Hund[10], der gegen die Wölfe mit einem stachligen Halsband[11] geschützt ist. Das Schwein[12] wird im Schweinestall aus dem Trog gefüttert. Die Bäuerin[13] melkt das Euter der Kuh[14] über einem Melkschaff[16] an der Krippe[15] und stampft im Butterfass[17] aus der Sahne Butter und aus geronnener Milch Käse.[18] Den Schafen wird die Wolle[19] geschoren, und daraus werden verschiedene Kleider angefertigt.

das Rindvieh – die Kuh, der Bulle, der Ochse
das Kleinvieh – Schweine, Schafe, Ziegen
das Melkschaff – das Milchgefäß

Animal husbandry

Скотоводство

In the old times tillage of ground and rearing of cattle used to be the occupation of kings and heroes; nowadays they are in the charge of the lowest classes of the population.

The neat-herd[1] calls the herds[2] out of the cowsheds[3] with a horn[4] and drives them to feed. The shepherd[5] pastures his flock[6]; he has a pipe[7] and a scrip[8], a sheephook[9] and a dog[10] fenced against the wolves by a spiky collar[11].

Swine[12] are fed from a swine-trough in a pig-sty.

The farmer's wife[13] milks the udder of the cow[14] at the crib[15] over a milk-pail[16] and makes butter from cream in a churn[17] and cheese[18] from curds.

The wool[19] is shorn from sheep, and various garments are made from it.

herds (of cattle) – beef cattle (a cow, a bull, an ox)
smaller farm animals – (pigs, sheep, goats)

Земледелие и скотоводство в древнейшие времена было делом царей и героев; теперь же ими занимается только простой народ.

Пастух[1] созывает скот[2] из хлевов[3] рогом[4] и гонит на пастбище. Овчар[5] пасёт стадо[6]; он имет свирель[7] и сумку[8], пастушью трость[9] и собаку[10], которая для защиты от волков имеет колючий ошейник[11].

Свиней[12] откармливают из корыта в свином хлеву.

Хозяйка[13] доит молоко из вымени коровы[14] у яслей[15] над подойником[16] и сбивает в маслобойке[17] маело из сливок, а сыр из творога.

У овец стригут шерсть[19], из которой изготавливают различную одежду.

9

XLVII

Mellificium

Apes emittunt examen[1] adduntque illi ducem (regem)[2]. Examen illud, cùm avolaturum est, revocatur tinnitu vasis aenei[3] et includitur novo alveari[4]. Struunt sexangulares cellulas[5] complentque eas mellagine et faciunt favos[6], è quibus mel[7] effluit. Crates igne liquatae abeunt in ceram[8].

Včelařství

Včely tvoří roje[1] a každý roj má matku (královnu)[2].

Když chce roj odletět, volá se zpět zvukem kovové nádoby[3] a zavírá se do nového úlu[4].

Včely si budují šestihranné buňky[5], plní je strdím a dělají plástve[6], ze kterých vytéká med[7].

Voštiny rozpuštěné nad ohněm se mění ve vosk[8].

Die Bienenzucht

Die Bienen bilden Schwärme[1] und jeder Schwarm hat seine Stockmutter (Königin)[2].

Wenn ein Schwarm ausbrechen will, wird er mit dem Klang eines Metallbehälters[3] zurückgebracht und in einen neuen Stock[4] gefasst.

Die Bienen bauen sechseckige Zellen[5], füllen sie mit Honigseim und machen Honigwaben[6], aus denen der Honig[7] fließt.

Honigwaben, über dem Feuer geschmolzen, werden zu Wachs[8].

Bee-keeping

Пчеловодство

The bees swarm[1] and each swarm has its queen bee (mother)[2].

If the swarm is going to fly away, it is recalled by the tinkling of a brazen vessel[3] and is put in a new hive[4].

The bees build little hexagonal cells[5] and fill them with honeydew, and make combs[6], out of which honey runs[7].

The partitions that are melted over the fire turn into wax[8].

Пчёлы образуют рой[1] во главе с плодной маткой[2].

Когда этот рой собирается улетать, его отзывают назад звоном медного таза[3] и помещают в новом улье[4].

Пчёлы строят шестигранные ячейки[5], заполняют их медвяным соком цветов и делают соты[6], из которых течёт мёд[7].

Ячейки, растопленные на огне, превращаются в воск[8].

XLVIII

Molitura In mola[1] currit lapis[2] super lapidem[3] circumagente rotâ[4] et conterit per infundibulum[5] infusa grana separatque furfurem[6], decidentem in cistam[7], à farinâ (polline), elabente per excussorium[8]. Talis mola primùm fuit mola manuaria[9], deinde mola jumentaria[10], porrò mola aquatica[11] et mola navalis[12], tandem mola alata (pneumatica)[13].

Mlynářství

Ve mlýně[1] se otáčí kámen[2] na kameni[3], poháněný mlýnským kolem[4], a rozemílá trychtýřem[5] nasypané zrní a odděluje otruby[6] padající do truhly[7] od mouky, která se přesívá přes síto[8]. Takové mlýny bývaly napřed ruční[9], pak koňské[10], vodní[11], lodní[12], později větrné[13].

kámen 2 – zvaný žernov
kámen 3 – zvaný spodek

Das Mahlen

In der Mühle[1] dreht sich ein Stein[2] über einem anderen Stein[3] durch ein Mühlrad[4] angetrieben und zermahlt das durch einen Trichter[5] hineingeschüttete Korn und trennt die in den Kasten[7] fallende Kleie[6] vom Mehl, das durch ein Sieb[8] gesiebt wird. Zuerst gab es Handmühlen[9], dann Ross[10], Wasser-[11], Schiffs-[12], später Windmühlen[13].

Stein 2 – genannt oberer Mahlstein
Stein 3 – genannt unterer Mahlstein

Milling

Помол муки

In a mill[1] a stone[2] turns upon a stone[3], a wheel[4] turning it about, and grinds the grain poured in by a hopper[5] and separates the bran[6] falling into the trough[7] from the meal sifted through the bolter[8]. Such mills used to be hand-mills[9], then horse-mills[10], water-mills[11] and ship-mills[12], later wind-mills[13].

stone 2 – called upper millstone
stone 3 – called lower millstone

На мельнице[1] один жернов[2] поворачивается на другом[3] благодаря движению колеса[4] и вот так размалываются зёрна, насыпанные через воронку[5]. При этом отделяются отруби[6], падающие в ящик[7], от муки, которая сыплется через сито[8]. Такая мельница сначала была ручной[9], затем мельницей конной[10]; далее - мельница водяная[11] и лодочная[12]; и наконец - ветряная мельница[13].

XLIX

Panificium

Pistor[1] cernit farinam cribro[2] pollinario et indit mactrae[3]; tunc affundit aquam, facit massam[4] depsitque eam spathâ[5] ligneâ; dein format panes[6], placentas[7], similas[8], spiras[9] etc. Pòst imponit palae[10] et ingerit furno[11] per praefurnium[12]; sed priùs eruit rutabulo[13] ignem et carbones, quos infra congerit[14]. Et sic panis pinsitur, qui habet extra crustam[15] et intus micam[16].

Pekařství

Pekař[1] prosívá mouku na moučném sítě[2] a sype do díže[3], potom přilévá vodu, dělá těsto[4] a mísí je dřevěnou kopistí[5]; potom tvaruje bochníky chleba[6], koláče[7], žemle[8], preclíky[9] aj. Pak je klade na lopatu[10] a otvorem[12] sází do pece[11]. Dříve však vyhrabává pohrabáčem[13] oheň a uhlí, jež hází[14] dolů na hromadu. A tak se peče chléb, který má zevně kůrku[15] a uvnitř střídu[16].

Das Brotbacken

Der Bäcker[1] siebt das Mehl mit dem Mehlsieb[2] und schüttet es in den Backtrog[3], dann gießt er Wasser dazu, macht den Teig[4] und knetet ihn mit dem Knetscheit[5]; dann formt er Brotlaibe[6], Kuchen[7], Brötchen[8], Hörnchen (Brezeln)[9] u. a. Dann legt er sie auf den Brotschieber[10] und schiebt sie durch das Ofenloch[12] in den Backofen[11]. Vorher aber scharrt er mit dem Schürhaken[13] Feuer und Kohle heraus, die er unten auf einen Haufen wirft.[14] So wird Brot gebacken, das außen eine Rinde[15] und innen eine Krume[16] hat.

The baker's trade

The baker[1] sifts meal with a flour sifter[2] and puts it into the kneading-trough[3]; then he adds water to it and makes dough[4] and mixes it using a wooden kneader[5]. Then he shapes loaves[6], cakes[7], rolls[8], pretzels[9], etc. Then he sets them on a peel[10] and puts them through the oven mouth[12] into the oven[11]. But first he rakes out the fire and the coal with a coal-rake[13], and throws[14] them down onto a heap. And so bread is baked having the crust from without[15] and the crumb[16] within.

Хлебопечение

Пекарь[1] просеивает муку через мучное сито[2] и насыпает ее в квашню[3]; затем он подливает воды, делает тесто[4] и месит его деревянной скалкой[5]; после этого делают хлебы[6], лепешки[7], сайки[8], крендели[9] и проч. Потом кладет их на лопату[10] и сажает в печь[11] через печное отверстие[12]. Но раньше он выгребает кочергой[13] жар и угли, которые он помещает под печью[14]. И так он выпекает хлеб, у которого снаружи корка[15], а внутри - мякиш[16].

L

Piscatio Piscator[1] captat pisces: sive in littore hamo[2], qui ab arundine filo pendet et cui inhaeret esca; sive fundâ[3], quae pendens perticâ[4] aquae immittitur; sive in cymba[5] reti[6]; sive nassâ[7], quae per noctem demergitur.

Rybaření

Rybář[1] chytá ryby:

buď na břehu udicí[2], která visí na prutu na niti s připevněnou návnadou;

nebo čeřenem[3], který visí na bidle[4] a spouští se do vody;

nebo na loďce[5] do sítě[6];

nebo do vrše[7], která se přes noc potápí.

Die Fischerei

Der Fischer[1] fängt Fische:

entweder am Ufer mit der Angel[2], die mit einem befestigten Köder von der Angelrute am Faden herabhängt;

oder mit dem Wurfnetz[3], das an einer Stange[4] hängt und ins Wasser gelassen wird;

oder im Boot[5] mit einem Netz[6];

oder mit der Fischreuse[7], die über Nacht versenkt wird.

Fishing

The fisherman[1] catches fish:

either on the shore with a baited hook[2] hung on a line suspended from an angling rod;

or with a stake net[3], which hanging on a pole[4] is put into the water;

or in a boat[5] with a trammelnet[6];

or with a fish-trap[7], which is laid into the water overnight.

Рыбная ловля

Рыбак[1] ловит рыб:

или (сидя) на берегу крючком, который с удочки[2] свисает на леске и на которой насажена приманка;

или сетью[3], которая, вися на шесте[4], погружается в воду;

или (сидя) в лодке[5] неводом[6]

или вершей[7], которая на всю ночь погружена в воду.

LII

Venatus Venator[1] venatur feras, dum sylvam cingit cassibus[2], qui tenduntur super varos (furcillas)[3]. Canis sagax[4] feras vestigat aut indagat odoratu, vertagus[5] persequitur eas. Lupus incidit in foveam[6]; cervus[7] fugiens incidit in plagas. Aper[8] transverberatur venabulo[9]. Ursus[10] mordetur à canibus et tunditur clavâ[11]. Si quid effugit, evadit[12], ut hîc lepus et vulpes.

Honba

Lovec[1] loví zvěř, když les obklopí sítěmi[2] napjatými na vidlicích[3]. Pes[4] (stopař) zvěř stopuje anebo větří čenicháním, chrt[5] ji honí.

Vlk padá do jámy[6]; prchající jelen[7] padá do tenat.

Divoký kanec[8] je zasažen oštěpem[9]. Na medvěda[10] se vrhají psi a bývá ubíjen kyjem[11].

Jestliže něco uteče, vyvázne[12], jako zde zajíc a liška.

Die Jagd

Der Jäger[1] jagt das Wild, indem er den Wald mit Netzen[2] umstellt, die auf Stangen[3] gespannt sind. Der Spürhund[4] spürt das Wild auf oder wittert es, der Windhund[5] verfolgt es.

Der Wolf fällt in die Grube[6]; der fliehende Hirsch[7] gerät ins Fangnetz. Der Keiler[8] wird vom Jagdspieß getroffen[9].

Auf den Bären[10] stürzen sich die Jagdhunde, und er wird mit der Keule[11] erschlagen.

Wenn etwas flieht, entkommt[12] es, wie hier der Hase und der Fuchs.

Hunting

Охота

The hunting-man[1] hunts wild beasts besetting the wood with nets[2] stretched on forked shores[3].

The dog (tracker)[4] traces the wild beasts and finds them out by his scent; the greyhound[5] pursues them.

The wolf falls into a pit[6], the stag[7], as he runs away, into toils.

The boar[8] is hit with a hunting-spear[9]. The bear[10] is attacked by the dogs; he is usually knocked dead with a club[11]. If anything gets away, as here a hare and a fox, it escapes[12].

Охотник[1] охотится на зверей, окружая лес сетями[2], натянутыми на распорки[3].

Собака-ищейка[4] выслеживает зверей или отыскивает их при помощи обоняния; гончая собака[5] преследует их.

Волк попадает в яму[6]; бегущий олень[7] попадает в тенет. Кабана[8] поражают охотничьим копьем[9].

Медведя[10] кусают собаки, а убивают его дубиной[11]. Если какой-нибудь зверь убежит, то уйдет от охотника, как, например, здесь заяц[12] и лисица.

LIII

Lanionia Lanio[1] mactat pecudem altilem[2] (macilenta[3] non sunt vesca), prosternit clavâ[4] vel jugulat clunaclo[5], excoriat (deglubit)[6] dissecatque et carnes venum exponit in macello[7]. Suem[8] glabrat igne vel aquâ fervidâ[9] et facit pernas[10], petasones[11] et succidias[12]; praeterea varia farcimina, faliscos[13], apexabones[14], tomacula[15], botulos (lucanicas)[16]. Adeps[17] et sebum[18] eliquatur.

Řeznictví

Řezník[1] zabíjí krmný dobytek[2] (hubený dobytek[3] není k jídlu). Poráží palicí[4] nebo zařezává řeznickým nožem[5], stahuje kůži[6], rozsekává maso a nabízí je na prodej v obchodě[7].

Vepře[8] opaluje ohněm nebo opařuje vřelou vodou[9] a dělá plece[10], kýty[11] a kusy slaniny[12], kromě toho všelijaké nadívané výrobky, tlačenku[13], jelita[14], jitrnice[15], klobásy[16].

Sádlo[17] a lůj[18] se vyškvařuje.

Der Fleischer

Der Fleischer[1] schlachtet das Mastvieh[2] (das magere Vieh[3] taugt nicht zum Essen). Er erschlägt es mit dem Schlegel[4] oder sticht es mit dem Schlachtmesser[5] ab, zieht die Haut[6] ab, zerhackt das Fleisch und legt es im Laden[7] zum Verkauf aus.

Das Schwein[8] sengt er mit Feuer oder brüht es mit heißem Wasser[9] ab und macht Schulterstücke[10], Keulen[11], Speckseiten[12], außerdem allerlei Würste, Presswurst[13], Blutwürste[14], Leberwürste[15], Bratwürste[16].

Fett[17] und Talg[18] werden ausgelassen.

Butchery

Убой скота

The butcher[1] kills fat cattle[2] (the lean[3] are not fit to eat). He knocks them down with a mallet[4] or cuts their throat with a slaughter-knife[5]. He flays[6] them and joints them, and offers the joints of meat for sale in his shop[7].

He dresses a hog[8] with fire or scalding water[9] and makes shoulder cuts[10], gammons[11], and flitches[12], as well as various stuffed goods, brawn[13], black puddings[14], white puddings[15], and sausages[16].

Fat[17] and tallow[18] are rendered down.

Мясник[1] убивает откормленный скот[2] (тощий[3] не годен в пищу), сваливает его дубиной[4] или зарезает ножом[5], снимает кожу[6], рассекает на части мясо и выставляет его на продажу в мясном ряду[7].

Свинью[8] он очищает огнем или кипятком[9] и приготовляет лопатки[10], окорока[11] и бочки[12]. Кроме того, он изготовляет различные колбасы: толстые[13], кровяные[14], ливерные[15], сосиски[16].

Сало[17] и жир[18] растапливает.

LIV

Coquinaria

Promuscondus[1] profert è penu[2] obsonia[3]. Ea accipit coquus[4] et coquit varia esculenta. Aves[5] deplumat priùs et exenterat; pisces[6] desquamat et exdorsuat; quasdam carnes lardo trajectat ope creacentri (lardarii)[7]; lepores[8] exuit. Tum elixat ollis[9] et cacabis[10] in foco[11] et despumat ligulâ[12]. Elixata condit aromatibus, quae comminuit pistillo[14] in mortario[13] aut terit radulâ[15]. Quaedam assat verubus[16] et automato[17] vel super craticulam[18], vel frigit sartagine[19] super tripodem[20]. Vasa coquinaria sunt praeterea: rutabulum[21], foculus (ignitabulum)[22], trua[23] (in quâ eluuntur catini[24] et patinae[25]), pruniceps[26], culter incisorius[27], qualus[28], corbis[29] et scopae[30].

Kuchařství

Spižírník[1] vydává ze spižírny[2] potraviny[3]. Ty přijímá kuchař[4] a vaří různá jídla. Ptáky[5] nejdříve škube a kuchá; ryby[6] zbavuje šupin a dělí. Některá masa špikuje pomocí špikovací jehly[7], zajíce[8] stahuje. Potom vaří v hrncích[9] a kotlech[10] na ohništi[11] a vařečkou[12] sbírá pěnu. Uvařená jídla ochucuje kořením, které roztlouká paličkou[14] v hmoždíři[13] nebo strouhá na struhadle.[15] Některé maso peče na rožni[16] a na otáčivém rožni[17] nebo nad roštem[18] nebo smaží v pánvi[19] na trínožce[20]. V kuchyni je mimo to pohrabáč[21], pekáč[22], dřez[23], v němž se myjí hluboké[24] a mělké[25] talíře, kleště na uhlí[26], sekáček[27], cedník[28], koš[29] a koště[30].

Das Kochen

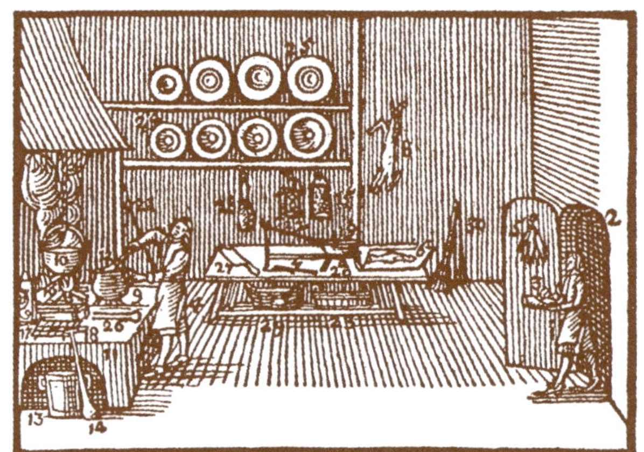

Der Speisemeister[1] gibt aus der Speisekammer[2] Lebensmittel[3] aus. Diese nimmt der Koch[4] entgegen und kocht verschiedene Speisen. Die Vögel[5] rupft er zuerst und nimmt sie aus; die Fische[6] schuppt er ab und halbiert sie. Manches Fleisch spickt er mit der Spicknadel[7], den Hasen[8] zieht er ab. Dann kocht er in Töpfen[9] und Kesseln[10] auf dem Herd[11] und schäumt mit dem Kochlöffel[12] ab. Gekochte Speisen schmeckt er mit Gewürz ab, das er mit dem Stößel[14] im Mörser[13] zerstößt oder auf dem Reibeisen[15] reibt. Manches Fleisch brät er am Spieß[16], am Drehspieß[17] oder über dem Rost[18] oder röstet es in der Pfanne[19] auf dem Dreifuß[20]. In der Küche sind außerdem der Feuerhaken[21], die Bratpfanne[22], der Spültrog[23], in dem tiefe[24] und flache[25] Teller gewaschen werden, die Feuerzange[26], das Hackmesser[27], der Durchschlag[28], der Korb[29] und der Besen [30].

Cookery

Поваренное дело

The warden of the larder[1] releases provisions[3] from the larder[2]. The cook[4] receives them and makes various dishes. He first plucks and draws the fowl[5]; he scales and splits fish[6]. He lards some joints of meat using a larding-needle[7]; he skins hares[8]. Then he boils them in pots[9] and kettles[10] on the hearth[11] and scums them with a scummer (spoon)[12]. He seasons the dishes that are boiled with spices, which he pounds with a pestle[14] in a mortar[13], or grates with a grater[15]. He roasts some pieces of meat on a spit[16] and a turning-spit[17], or upon a gridiron[18], or fries them in a frying-pan[19] on a brand-iron (a trivet)[20]. In the kitchen there is also a poker[21], a roasting-pan[22], a tray[23] in which dishes[24] and platters[25] are washed, a pair of coal tongues[26], a mincing knife[27], a colander[28], a basket[29] and a besom (a broom)[30].

Эконом[1] достает из кладовой[2] съестные припасы[3]. Их принимает повар[4] и готовит различные кушанья. Птиц[5] он сначала ощипывает и вынимает из них внутренности; рыбу[6] он очищает от чешуи и делит ее на части. Некоторые виды мяса он шпигует салом при помощи шпиговальной иглы[7]. С зайцев[8] он снимает шкуру. Затем он варит в горшках[9] и котлах[10] на очаге[11] и снимает пену шумовкой[12]. Сваренное кушанье он приправляет пряностями, которые измельчает пестиком[14] в ступке[13] или растирает на терке[15]. Некоторые виды мяса он жарит на шесте[16] и вертеле[17] или на рашпере[18], или жарит на сковороде[19] над треножником[20]. В кухне кроме того видим: ухват[21], жаровню[22], лохань[23], в которой моют миски[24] и блюда[25], щипцы[26], резак[27], дуршлаг[28], корзину[29] и метлу[30].

16

LV

Vindemia Vinum crescit in vinea[1], ubi vites propagantur et viminibus ad arbores[2] vel ad palos (ridicas)[3] vel ad juga[4] alligantur. Cùm tempus adest vindemiandi, abscindunt botros et comportant trimodiis[5] conjiciuntque in lacum[6], calcant pedibus[7] aut tundunt ligneo pilo[8] et exprimunt succum torculari[9], qui dicitur mustum[11], et orcâ[10] exceptum vasis (doliis)[12] infunditur, operculatur[15] et in cellas super cantherios[14] abditum in vinum abit. E dolio promitur siphone[13] aut tubulo[16] (in quo est epistomium), vase relito.

Vinařství

Víno roste na vinici[1], kde se révy rozvádějí a přivazují ke stromům[2], tyčkám[3] nebo latím[4].

Když se přiblíží čas vinobraní, řežou se hrozny, snášejí se v putnách[5] a sypou do kádě[6];

šlapou se nohama[7] nebo tlučou dřevěnou palicí[8], lisem[9] se vytlačuje šťáva zvaná mošt[11];

ten zachycený ve džberech[10] se leje do sudů[12], čepem[15] se uzavře a ve sklepě uložený na líhách[14] se mění ve víno. Ze sudů se stáčí násoskou[13] nebo pípou.

Der Weinanbau

Der Wein wächst auf dem Weinberg[1], wo die Weinreben ranken und an Bäumen[2], Pfählen[3] oder Latten[4] festgebunden werden.

Wenn die Zeit der Weinlese naht, werden die Weintrauben abgeschnitten, in Butten[5] zusammengetragen und in Weinkufen[6] geschüttet;

sie werden mit Füßen[7] getreten oder mit einem Holzstampfer[8] zerstoßen, mit der Weinkelter[9] wird der Saft, Most[11] genannt, herauspresst;

der in den Mostkufen[10] aufgefangene Most wird in Weinfässer[12] gegossen, verspundet, und verwandelt sich, im Keller auf Lagerhölzern[14] gelagert, in Wein. Aus den Fässern wird der Wein mit dem Heber[13] oder Zapfen abgefüllt.

Winegrowing

Сбор винограда

Grapes grow in a vineyard[1], where vines are propagated with their twigs fastened to trees[2], to props[3] or to frames[4].

When the time of grape harvesting approaches, the bunches are cut and carried in wooden tubs[5] and thrown into a vat[6];

they are trodden with feet[7] or stamped with a wooden pestle[8], and the juice squeezed out in the wine-press[9] is called must[11], which is gathered in large tubs[10], poured into hogsheads[12], which are closed and placed in cellars upon fettles[14]; there, must changes into wine. Wine is drawn out of the hogsheads with a siphon[13] or a spigot.

Виноград вырастает в винограднике[1], где разрастаются виноградные лозы и привязываются прутьями к деревьям[2], кольям[3] или же к шпалерам[4].

Когда наступает время сбора винограда, отрезают гроздья, сносят их в больших корзинах[5] и сбрасывают в чан[6].

Затем его топчут ногами[7] или давят деревянным давилом[8] и выжимают из него прессом[9] сок, называемый муст[11].

Сок, слитый в чан[10], наливают в бочки[12], закупоривают их[15], ставят в погреб на подставки[14] и здесь муст превращается в вино. Из бочки вино достают при помощи сифона[13] или через кран.

LVI

Zythopoeia Ubi non habetur vinum, bibitur cerevisia (zythus); quae ex byne[1] et lupulo[2] in aheno[3] coquitur, pòst in lacûs[4] effunditur, et frigefacta labris[5] in cellaria[6] defertur et vasibus infunditur. Vinum sublimatum è fecibus vini in aheno[7], cui superimpositum est alembicum[8], vi caloris extractum destillat per tubum[9] in vitrum. Vinum et cerevisia acescens fit acetum. Ex vino et melle faciunt mulsum.

Pivovarnictví

Kde nemají víno, pijí pivo.

Pivo se vaří v kotli[3] ze sladu[1] a chmele[2], pak se vylévá do kádě[4] a vystydlé se odnáší ve džberech[5] do sklepů[6] a nalévá se do sudů.

Pálenka se připravuje z vinných kvasnic v kotli[7], na který je postaven destilační klobouk[8], vytažená působením tepla kape trubkou[9] do láhve. Když víno a pivo zkysají, změní se v ocet.

Z vína a medu se vyrábí medovina.

Das Bierbrauen

Wo man keinen Wein hat, trinkt man Bier.

Bier wird im Kessel[3] aus Malz[1] und Hopfen[2] gebraut, dann in den Bottich[4] gegossen und abgekühlt in Kufen[5] in die Keller[6] getragen und in Fässer gegossen.

Der Branntwein wird aus Weinhefe im Kessel[7] zubereitet, auf den der Destillierhelm[8] aufgesetzt ist; durch Wärme herausgezogen, tropft er durch das Rohr[9] in die Flasche. Wenn Wein und Bier sauer werden, verwandeln sie sich in Essig.

Aus Wein und Honig wird der Met gebraut.

Brewing beer

Пивоварение

Where wine is not available people drink beer.

Beer is brewed from malt[1] and hops[2] in a caldron[3]; then it is poured into vats[4] and when it has cooled down, it is carried in soes (wooden tubs)[5] into cellars[6] and poured into barrels.

Brandy wine, extracted by the power of heat from the yeast of wine in a pan[7] over which an alembic head[8] is placed, drops through a pipe[9] into a receiver. Wine and beer become vinegar when they turn sour.

Mead is made from wine and honey.

Где нет вина, там пьют пиво.

Его варят из солода[1] и хмеля[2] в котле[3]. Затем его сливают в чан[4] и, охладив, сносят в ведрах[5] в погреб[6] и наливают в бочки.

Водка извлекается нагреванием из осадков вина в котле[7], к которому сверху прилажен перегонный куб[8]. Нагреваясь, жидкость стекает через трубки[9] в стеклянный сосуд. Вино и пиво, скиснув, превращаются в уксус.

Из вина и меда варят мульс (сладкое вино).

18

LVIII

Tractatio lini Linum et cannabis, aquis macerata rursumque siccata[1], contunduntur frangibulo ligneo[2] (ubi cortices[3] decidunt); tùm carminantur carmine ferreo[4], ubi stupa[5] separatur. Linum purum alligatur colo[6] à netrice[7], quae sinistrâ filum trahit[8], dexterâ[12] rhombum (girgillum)[9] vel fusum[10] (in quo verticillus[11]) versat. Fila accipit volva[13]; inde deducuntur in alabrum[14]; hinc vel glomi[15] glomerantur, vel fasciculi[16] fiunt.

Zpracování lnu

Len a konopí ve vodě močené a zase usušené[1] se třou dřevěnou trdlicí[2], při čemž odpadává pazdeří[3]; pak se češou železnými vochlemi[4], a tak se odlučuje koudel[5].

Čistý len váže pradlena[7] na kužel[6] tak, že levou rukou vytahuje nit[8], pravou[12] točí kolovrátkem[9] nebo vřetenem[10], na kterém je přeslen[11]. Niti se navíjejí na cívku[13], z ní se motají na motovidlo[14], z toho pak se navíjejí klubka[15] nebo dělají přadénka.[16]

Die Arbeit mit Flachs

Der Flachs und Hanf, im Wasser geröstet und wieder getrocknet[1], werden mit der Breche[2] gebrochen, wobei die Flocken[3] abfallen; dann werden sie mit Hecheln[4] gehechelt, und so wird der Werg[5] abgesondert.

Der reine Flachs wird von der Spinnerin[7] so auf den Rocken[6] gelegt, dass sie mit der linken Hand den Faden[8] spinnt, mit der rechten[12] das Spinnrad[9] oder die Spindel[10] dreht, auf der die Spinnrolle[11] ist. Die Fäden kommen auf die Spule[13], von ihr werden sie auf die Haspel[14] gewickelt, daraus werden dann Knäule[15] oder Strähnen[16] gemacht.

The dressing of flax

Обработка льна

Flax and hemp being retted in water and dried again[1] are braked with a wooden brake[2] and the shives[3] fall off; then they are hackled with an iron hackle[4] and the tow[5] is parted from them.

Clean flax is tied to a distaff[6] by the spinner[7], who with her left hand pulls out the thread[8] and with her right hand[12] turns the spinning wheel[9] or the spindle[10] provided with a whorl[11]. The thread is received by a spool[13] and thence wound on a yarn-windle[14]; hence either clews[15] or hanks[16] are made.

Лен и конопля, вымоченные в воде и снова высушенные[1], теребят деревянным трепалом[2] (при этом отпадает шелуха[3]), затем чешут железной чесалкой[4], чтобы отделить паклю[5].

Чистый лен привязывается к прялке[6] пряхой[7], которая левой рукой тянет нитку[8], а правой[12] крутит колесо[9] или веретено[10], на котором находится вертлужок[11]. Нитки наматываются на катушку[13], откуда они переводятся на мотовило[14]. Здесь наматываются клубки[15], или связки (мотки)[16].

LIX

Textura Textor diducit in stamen glomos[1] et circumvolvit jugo[2], ac sedens in textrino[3], calcat pedibus insilia[4]. Liciis diducit stamen[5] et trajicit radium[6], in quo est trama, ac densat pectine[7]. Atque ita conficit linteum[8]. Sic etiam pannifex facit pannum è lanâ.

Tkalcovství

Tkadlec snuje přízi[1] do osnovy a navíjí na vratidlo[2] a sedě za stavem[3] šlape nohama na podnožky[4].

Brdem[5] rozděluje osnovu a prohazuje ji člunkem[6], v němž je útek, a přiráží předivo paprskem[7]. A tak zhotovuje plátno[8].

Podobně dělá soukeník z vlny sukno.

Die Weberei

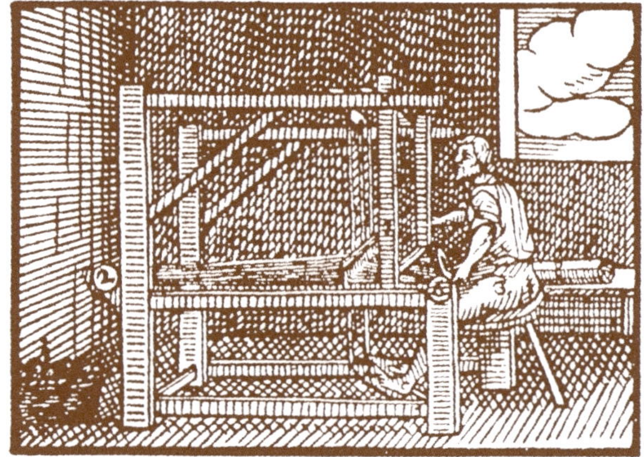

Der Weber schärt das Garn[1] zum Kettfaden und rollt ihn auf den Weberbaum[2], und hinter dem Webstuhl[3] sitzend, tritt er mit den Füßen die Schemel[4].

Mit dem Riedkamm[5] teilt er den Kettfaden und steckt durch ihn den Schützen[6], in dem der Einschlag ist, und macht das Gewebe mit dem Weberkamm[7] dicht. Und so stellt er das Leinen[8] her.

Ähnlich macht der Tuchmacher aus Wolle das Tuch.

Weaving

Тканье

The weaver warps the yarn[1] and winds it on the beam[2]; and as he sits at his loom[3] he treads upon the treadles[4] with his feet.

He divides the warp with harness[5] and throws through it the shuttle[6] with the woof, which he strikes close with the reed[7] and so makes linen-cloth[8].

So also the clothier makes cloth from wool.

Ткач набирает на основу пряжу[1] и наматывает ее на навой[2] и, сидя на ткацком стуле[3], он нажимает ногами на подножки[4].

Поперечные нити он проводит в основу[5], пропуская их в челноке[6], в котором находится уток, а затем сдавливает их гребнем[7]. Так ткач изготовляет полотно[8].

Таким же образом суконщик изготовляет сукно из шерсти.

LX

Lintea Linteamina insolantur[1] aquâ superfusa[2], donec candefiant. Ex iis suit sartrix[3] indusia[4], muccinia[5], collaria[6], capitia etc. Haec, si sordidentur, rursum lavantur à lotrice[7] aquâ sive lixivio ac sapone.

Plátno

Plátno[1] se prostírá na slunci a polévá[2] vodou, až zbělí.

Švadlena[3] z něho šije košile[4], kapesníky[5], límce[6], čepečky aj.

Jestliže se ušpiní, pere pradlena[7] vodou, louhem a mýdlem.

Das Leinen

Das Leinen[1] wird in der Sonne ausgebreitet und mit Wasser besprengt[2], bis es weiß wird.

Die Näherin[3] näht daraus Hemden[4], Taschentücher[5], Kragen[6], Schlafhauben u. a.

Wenn sie schmutzig werden, werden sie von der Wäscherin[7] mit Wasser, Lauge und Seife gewaschen.

Linen

Полотно

Linen[1] is bleached in the sun with water poured on it[2] till it is white.

From linen the seamstress[3] sews shirts[4], handkerchiefs[5], collars[6], bonnets etc.

These, if they get soiled, are washed by the laundress using water, lye and soap.

Полотно[1] раскладывают на солнце, облив его водою[2], пока оно не побелеет.

Швея[3] шьет из полотна рубахи[4], носовые платки[5], воротнички[6], ночные колпаки и проч.

Когда они загрязнятся, прачка[7] их снова моет водою, щелоком и мылом.

21

LXI

Sartor

Sartor[1] discindit pannum[2] forfice[3] et consuit acu et filo duplicato[4]. Posteà complanat suturas ferramento[5]. Sicque conficit plicatas[7] tunicas[6], in quibus infrà est fimbria[8] cum institis[9], pallia[10] cum patagio (focali)[11] et manicatas togas[12], thoraces[13] cum globulis[14] et manicis[15], caligas[16], aliquando cum lemniscis[17], tibialia[18], chirothecas[19], amiculum[20] etc. Sic pellio facit pellicia è pellibus.

Krejčí

Krejčí[1] stříhá sukno[2] nůžkami[3] a sešívá jehlou s nití[4]. Potom žehlí švy žehličkou[5]. Tak dělá skládané[7] sukně[6], na nichž je dole obruba[8] s prýmky[9], pláště[10] s límcem[11] a šaty s rukávy[12], kazajky[13] s knoflíky[14] a rukávy[15], kalhoty[16] někdy s tkanicemi[17], punčochy (holeně)[18], rukavice[19], kamizolky[20] aj.

Kožišník dělá z kůží kožichy.

kazajka – lehký, krátký kabátek
kamizolka – krátký kabátek (myslivecká kamizolka)

Der Schneider

Der Schneider[1] schneidet das Tuch[2] mit der Schere[3] und näht es mit der Nadel und dem Zwirn[4] zusammen. Dann bügelt er die Nähte mit dem Bügeleisen[5]. So macht er Röcke[6] mit Falten[7], an denen unten der Saum[8] mit Borten[9] ist, Mäntel[10] mit Kragen[11] und Kleider mit Ärmeln[12], Wämser[13] mit Knöpfen[14] und Ärmeln[15], Hosen[16] zuweilen mit Bändern[17], Strümpfe[18], Handschuhe[19], Kamisole[20] u. a.

Der Kürschner macht Pelze aus Pelzwerk.

das Wams – leichte, kurze Jacke
das Kamisol – kurze Jacke (Jägerkamisol)

The tailor

Портной

The tailor[1] cuts cloth[2] with shears[3] and sews it together with a needle and thread[4]. Then he presses the seams with a pressing-iron[5]. Thus he makes pleated[7] skirts[6], which have hems[8] decorated with braids[9], cloaks[10] with collars[11], and dresses with sleeves[12], doublets[13] with buttons[14] and sleeves[15], breeches[16], sometimes with ribbons[17], stockings (gaiters)[18], gloves[19], camisoles[20] etc.

So the furrier makes fur coats from furs.

Портной[1] разрезает сукно[2] ножницами[3] и сшивает иглой и двойной ниткой[4]. Затем он разглаживает швы утюгом[5]. Так изготовляет он складчатые юбки[6], у которых внизу находится подол с обшивкой[9], плащи[10] с воротником[11] и платье с рукавами[12], камзолы[13] с пуговицами[14] и рукавами[15], брюки[16], иногда с лентами[17], чулки[18], перчатки[19], душегрейки[20] и проч.

Так и меховщик шьет меховые шубы из мехов.

22

LXII

Sutor

Sutor[1] conficit ope subulae[2] et fili picati[3] super modulo (forma calcei)[4] è corio[5] (quod scalpro sutorio[6] discinditur) crepidas (sandalia)[7], calceos[8] (in quibus spectatur supernè obstragulum, infernè solea et utrinque ansae), ocreas[9] et perones[10].

Švec

Švec[1] dělá pomocí šídla[2] a smolné dratve[3] na kopytě[4] z kůže[5] (která se knejpem[6] krájí) boty[9], škorně[10], sandály[7] a střevíce[8], na nichž je vidět nahoře nárt a vespod podešev.

Der Schuster

Der Schuster[1] macht mit Ahle[2] und Pechdraht[3] über dem Leisten[4] aus Leder[5] (das mit dem Kneif[6] zugeschnitten wird) Sandalen[7], Schuhe[8] (an denen oben das Oberleder, unten die Sohle zu sehen sind), Stiefel[9] und Halbschuhe[10].

The shoemaker

Сапожник

The shoemaker[1] makes sandals[7], boots[8] (whose top parts are tops and vamps, the lower parts soles, and on the sides there are latches), (court) shoes[9] and lace-up shoes[10] from leather[5] (which is cut with a cutting knife[6]) using an awl[2] and pitch lingel (shoemaker's thread)[3] and a last[4].

Сапожник[1] с помощью шила[2] и дратвы[3] на колодке[4] изготовляет из кожи[5] (которая разрезается сапожным ножом[6]) туфли[7], башмаки[8], сапоги[9] и полусапоги[10].

23

LXIII

Faber lignarius Hominis victum et amictum vidimus; nunc sequitur domicilium ejus. Primo habitabant in specubus[1], deinde in tabernaculis vel tuguriis[2], tùm etiam in tentoriis[3], demum in domibus. Lignator securi[4] sternit et truncat arbores[5], ubi remanent sarmenta[6]; clavosum lignum findit cuneo[7], quem adigit tudite[8], et componit strues[9]. Faber lignarius asciat asciâ[10] materiam, unde cadunt assulae[11], et serrat serrâ[12], ubi scobs[13] decidit. Post elevat tignum super canterios[14] ope trochleae[15], affigit ansis[16], lineat amussi[17]. Tùm compaginat parietes[18] et configit trabes clavis trabalibus[19].

Tesař

Z počátku bydleli lidé v jeskyních[1], potom v boudách nebo chatrčích[2] z listí a slámy, pak také ve stanech[3], nyní v domech.

Dřevař sekerou[4] poráží a klestí stromy[5] a při tom zanechává odříznuté větve[6]. Sukovité dřevo štípá klínem[7], který naráží palicí[8], a skládá hromady[9].

Tesař tesá širočinou[10] stavební dříví, při čemž odlétají třísky[11], a řeže pilou[12], od níž odpadávají piliny[13].

Potom zdvihá pomocí jeřábu[15] trám na kozy[14], upevňuje je skobami[16], měří šňůrou[17].

Pak váže stěny[18] a sbíjí trámy nárožníky[19].

nárožník – velký hřeb na spojování trámů

Der Zimmermann

Anfangs wohnten die Menschen in Höhlen[1], dann in Hütten und Buden aus Laub und Blättern[2], dann auch in Zelten[3], jetzt in Häusern.

Der Holzfäller fällt und entästet mit der Axt[4] die Bäume[5] und dabei lässt er die abgehackten Äste[6] übrig; das knorrige Holz spaltet er mit dem Keil[7], den er mit dem Schlegel[8] hineintreibt, und schichtet Holzhaufen[9].

Der Zimmermann zimmert mit der Zimmermannsaxt[10] das Bauholz, wobei Späne[11] fliegen, und sägt mit der Säge[12], von der Sägespäne[13] abfallen. Dann hebt er mit Hilfe von Winden[15] den Balken auf die Böcke[14], verbindet sie mit Klammern[16], misst mit der Richtschnur[17].

Dann fügt er die Wände[18] zusammen und nagelt die Balken mit Zimmermannsnägeln[19] zusammen.

der Zimmermannsnagel – großer Nagel zur Verbindung von Balken

The carpenter

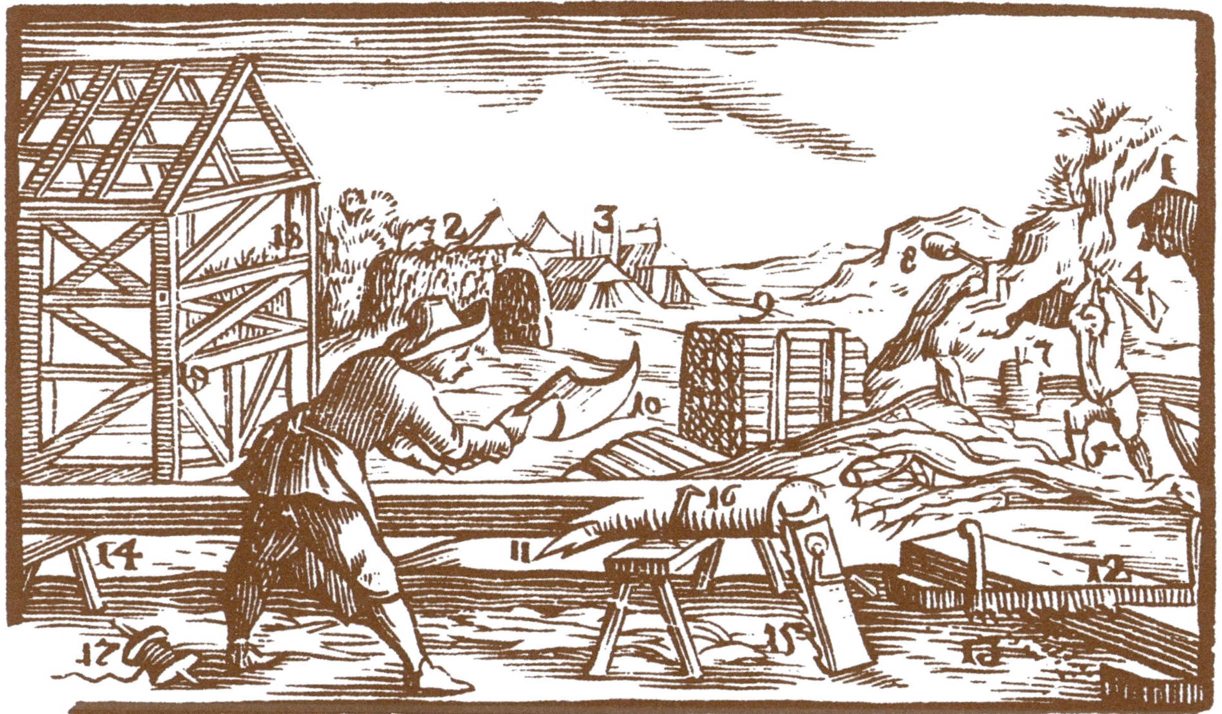

At first man dwelt in caves[1], then in booths or huts[2] from leaves and straw, then also in tents[3], and now in houses.

The wood-cutter fells trees and lops off the branches[5] with an axe[4] leaving the latter[6] lying on the ground; he cleaves knotty wood with a wedge[7], which he forces in with a beetle[8], and makes wood stacks[9].

The carpenter squares timber with a broadaxe[10] with the chips[11] flying off, and saws it with a saw[12] with the sawdust[13] falling down.

Then he lifts the beam with the help of a pulley[15] on to the trestles[14], fastens it with cramp-irons[16] and marks it out with a line[17].

Then he frames the walls[18] together and fastens the beams with pins[19].

Плотник

Сначала люди жили в пещерах[1], затем в шалашах из ветвей или соломы[2], потом в шатрах[3] и, наконец, в домах.

Дровосек топором[4] валит и обрубает деревья[5], от которых остается хворост[6].

Суковатое дерево он раскалывает клином[7], который вбивает колотушкой[8], и складывает штабеля[9]. Плотник обтесывает топором[10] бревна, от которых падают щепки[11], и пилит пилой[12], из-под которой падают опилки[13].

Затем он поднимает бревно на подставки[14] при помощи блока[15], прикрепляет скобами[16] и разлинеивает шнуром[17].

Затем он сколачивает стены[18] и скрепляет балки болтами[19].

24

LXIV

Faber murarius

Faber murarius[1] ponit fundamentum et struit muros[2] sive è lapidibus, quos lapidarius eruit in lapicidinâ[3] et latomus[4] conquadrat ad normam[5], sive è lateribus[6], qui ex arenâ et luto aquâ intritis formantur et igne excoquuntur; dein crustat calce ope trullae[7] et tectorio vestit[8].

Zedník

Zedník[1] klade základy a staví zdi[2] buď z kamene, který lamač láme v lomu[3] a kameník[4] podle úhelnice[5] přitesává, anebo z cihel[6], které se dělají z písku a hlíny rozmíchaných ve vodě a ohněm vypalují. Potom pomocí zednické lžíce[7] omítá zeď maltou a bílí[8] ji.

Der Maurer

Der Maurer[1] legt das Fundament und zieht die Mauern[2] hoch entweder aus Steinen, die der Steinbrecher im Steinbruch[3] bricht und die der Steinmetz[4] nach dem Richtscheit[5] behaut, oder aus Ziegeln[6], die aus Sand und Lehm, mit Wasser angerührt, geformt und gebrannt werden. Dann verputzt er mit Hilfe einer Maurerkelle[7] die Mauer mit Mörtel und weißt[8] sie.

The mason

Каменщик

The mason[1] lays the foundations and builds walls[2] either from stones, which the stone-breaker quarries out in a quarry[3] and the stone-cutter[4] squares using a rule[5], or from bricks[6] which are shaped from a mixture of sand and clay and water, and burned with fire. Then he plasters the walls with mortar using a trowel[7] and coats them with whitewash[8].

Каменщик[1] кладет фундамент и строит стены[2] или из камней, которые каменолом вырубает в каменоломне[3] и каменотес[4] обтесывает в квадратные формы по правилу[5], или из кирпичей[6], которые изготовляются из песка и глины, размягченных водой, и обжигаются на огне. Затем он обмазывает их известью при помощи лопатки[7] и покрывает штукатуркой[8].

LXV

Machinae

Quantum duo ferre possunt palangâ[1] vel feretro[2], tantum potest unus trudendo ante se pabonem[3], suspensâ à collo aerumnâ[4]. Plus autem potest, qui molem phalangis (cylindris)[6] impositam provolvit vecte[5]. Ergata[7] est columella, quae versatur circumeundo. Geranium[8] habet tympanum, cui inambulans quis pondera navi extrahit aut in navem demittit. Fistuca[9] adhibetur ad pangendum sublicas[10]; adtollitur fune, tracto per trochleas[11], vel manibus, si ansas habet[12].

Stroje

Co mohou dva unést na tyči[1] nebo na nosítkách[2], to zvládne jeden, tlačí-li před sebou kolečko[3] zavěšené popruhem[4] na krku.

Ještě více zmůže, kdo před sebou pákou[5] válí břemeno položené na válce[6]. Rumpál[7] je sloup, který se otáčí chozením dokola.

Veliký jeřáb[8] má duté kolo, v němž někdo kráčí, a tak břemena z korábů vyzvedává nebo do lodí spouští. Beran[9] se užívá k zarážení kůlů[10]. Zdvihá se provazem taženým přes kladky[11] nebo rukama, když má držadla[12].

Maschinen

Was zwei Menschen auf einer Stange[1] oder Tragbahre[2] tragen können, das schafft einer, wenn er einen Schubkarren[3] vor sich herschiebt, mit einem um den Hals gehängten Tragriemen[4].

Noch mehr vermag der, der mit dem Hebel[5] eine auf Rollen gelegte[6] Last fortwälzt. Die Hubwinde[7] ist eine Säule, die durch Herumgehen gedreht wird.

Der Kran[8] hat ein hohles Rad, in dem jemand geht und so die Lasten aus den Schiffen hebt oder in die Schiffe hinunterlässt. Der Rammbär[9] wird zum Einschlagen von Pfählen[10] verwendet. Er wird mit einem über Rollen[11] gezogenen Seil oder mit den Händen gehoben, wenn er Handgriffe[12] hat.

Engines

Механизмы

One can carry as much by pushing a wheelbarrow[3] before him hung with a strap[4] on his neck as two can carry on a coalstaff[1] or handbarrow[2].

But he can do even more who rolls the weight laid upon rollers[6] with a lever[5] before him. A windbeam[7] is a post which is turned by going about it.

A crane[8] has a hollow wheel (treadmill) in which a person walking draws loads out of ships or lets them down into ships. A ram[9] is used to drive piles[10] into the ground. It is lifted with a rope moving on pulleys[11], or with hands if it has handles[12].

Сколько могут нести двое на шесте[1] или на носилках[2], столько сможет нести один человек, толкая перед собой тачку[3], прикрепленную к ремню[4], свисающему у него с шеи.

Но ещё более силен тот, кто груз, положенный на катки[6], катит вперед при помощи рычага[5]. Ворот[7] есть столб, который вращают, обходя вокруг него.

Большой кран[8] имеет тимпан (колесо), ступая по которому, человек перемещает из корабля грузы или спускает их в него. Долбня (баба)[9] употребляется для вколачивания свай[10]. Она поднимается на канате при помощи блоков[11] или руками, если имеет ушки[12].

LXVII

Metallifodina Metallifossores[1] ingrediuntur puteum fodinae[2] bacillo[3] sive gradibus[4] cum lucernis[5] et effodiunt ligone[6] terram metallicam, quae, imposita corbibus[7], extrahitur fune[6] ope machinae tractoriae[9] et defertur in ustrinam[10], ubi igne urgetur, ut profluat metallum[12]. Scoriae[11] seorsim abjiciuntur.

Hornictví

Horníci[1] se spouštějí do šachty[2] na roubíku[3] nebo po žebříku[4] s kahanci[5] a kopou špičákem[6] rudu. Ta se dává do košů[7], vytahuje provazem[8] pomocí rumpálu[9] a nosí do pecí[10], kde se ohněm taví, aby vytékal kov.[12] Škváry[11] se odhazují stranou.

Der Bergbau

Die Bergleute[1] lassen sich mit Grubenlichtern[5] auf dem Knebel[3] oder auf der Leiter[4] in den Schacht[2] hinunter und hauen mit der Keilhaue[6] das Erz. Dies wird in Körbe[7] gegeben, mit dem Seil[8] mittels Winde[9] herausgezogen und in die Öfen[10] gebracht, wo es im Feuer geschmolzen wird, damit das Metall[12] herausfließt. Die Schlacken[11] werden beiseite geschüttet.

Mining

Горное дело

Miners[1] go down the pit[2] on sticks[3] or by ladder[4] with lamps[5], and hew ore with picks[6]. The ore is put into baskets[7] and lifted out of the pit with a rope[8] by means of a windlass[9]. It is carried to furnaces[10], where it is smelted with fire in order that the metal may run out[12]. The dross[11] is thrown aside.

Рудокопы[1] спускаются в шахту рудника[2] при помощи каната[3] или по лестнице[4] с фонарями[5] и выкапывают заступом[6] руду. Руду накладывают в корзины[7] и вытаскивают веревкой[8] при помощи ворота[9] и относят в обжигальню[10], где расплавляется на огне и из руды вытекает металл[12]. Шлаки[11] отбрасывают в сторону.

27

LXVIII

Faber ferrarius Faber ferrarius[1] in ustrinâ (fabricâ)[2] inflat ignem folle[3], quem adtollit pede[4], atque ita candefacit ferrum. Deinde eximit forcipe[5], imponit incudi[6] et cudit malleo[7], ubi stricturae[8] exiliunt. Et sic excuduntur clavi[9], soleae[10], canthi[11], catenae[12], laminae, serae cum clavibus, cardines etc. Ferramenta candentia restingvit in lacu.

Kovář

Kovář[1] v kovárně[2] dmýchá oheň tím, že šlape nohou[4] na měch[3], a tak rozžhavuje železo.

Potom je vytahuje kleštěmi[5], klade na kovadlinu[6] a kuje kladivem[7], až jiskry[8] odlétají.

A tak se kují hřebíky[9], podkovy[10], cány[11], řetězy[12], plechy, zámky s klíči, závěsy (veřeje) atd.

Rozpálená železa schlazuje v nádobě s vodou.

cány – podlouhlé kusy železa

Der Schmied

Der Schmied[1] bläst in der Schmiede[2] das Feuer an, indem er mit dem Fuß[4] den Blasebalg[3] tritt und so das Eisen glühend macht.

Dann zieht er es mit der Zange heraus[5], legt es auf den Amboss[6] und schmiedet es mit dem Hammer[7], dass die Funken[8] fliegen.

So werden die Nägel[9], Hufeisen[10], Radeschienen[11], Ketten[12], Bleche, Schlösser mit Schlüsseln, Türangeln usw. geschmiedet.

Das glühende Eisen kühlt er im Löschtrog mit Wasser ab.

Radeschienen – längliche Eisenstücke

The blacksmith

Кузнец

The blacksmith[1] in his smithy (forge)[2] blows the fire by treading a pair of bellows[3] with his feet[4] making the iron glow.

Then he takes the iron out with the tongs[5], lays it upon the anvil[6] and strikes it with a hammer[7] so that sparks[8] fly off.

And thus are hammered out nails[9], horseshoes [10], iron strips[11], chains[12], plates, locks with keys, hinges, etc.

He quenches hot iron in a trough filled with water.

Кузнец[1] в кузнице[2] раздувает огонь мехом[3], который он приводит в действие ногой[4], и так раскаляет железо.

Затем он вынимает его клещами[5], кладет на наковальню[6] и кует молотом[7], из-под которого вылетают искры[8].

И так выковываются: гвозди[9], подковы[10], шины[11], цепи[12], бляхи, замки с ключами, крюки дверные и проч.

Раскаленное железо кузнец охлаждает в ведре с водой.

28

LXIX

Scriniarius et tornator Arcularius[1] edolat asseres[2] runcinâ[3] in tabulâ[4], deplanat planulâ[5], perforat (terebrat) terebrâ[6], sculpit cultro[7], combinat glutine et subscudibus[8] et facit tabulas[9], mensas[10], arcas (cistas)[11] etc. Tornio[12] sedens in insili[13] tornat torno[15] super scamno tornatorio[14] globos[16], conos[17], icunculas[18] et similia toreumata.

Truhlář a soustružník

Truhlář[1] hobluje prkna[2] hoblíkem[3] na hoblovací stolici[4], hladí hladítkem[5], vrtá nebozezem[6], řeže pořízem[7], spojuje klihem a lištami[8] a dělá tabule[9], stoly[10], truhly (skříňky)[11] aj.

Soustružník[12] sedě na stoličce[13] soustruhuje soustružnickým nožem[15] na soustruhu koule[16], kuželky[17], loutky[18] a podobné soustružnické výrobky.

Der Tischler und der Drechsler

Der Tischler[1] hobelt die Bretter[2] mit dem Hobel[3] auf der Hobelbank[4], glättet sie mit dem Schlichthobel[5], bohrt sie mit dem Bohrer[6], schnitzt sie mit dem Schnitzer[7], fügt sie mit Leim und Leisten[8] zusammen, macht Tafeln[9], Tische[10] Truhen[11] u. a. m.

Der Drechsler[12], auf dem Schemel[13] sitzend, dreht mit dem Dreheisen[15] auf der Drehbank[14] Kugeln[16], Kegel[17], Puppen[18] und andere Drechslererzeugnisse.

The cabinet-maker and the turner

Столяр и токарь

The cabinet-maker[1] smoothes hewn boards[2] with a plane[3] and a smoothing plane[5] on a planing bench[4]; he bores them through with an auger[6], carves them with a shaver[7], fastens them together with glue and wooden strips[8] and makes boards[9], tables[10], chests (cabinets)[11] etc.

The turner[12] sitting on a stool[13] turns with a turning tool[15] on a lathe[14] bowls[16], skittle-pins[17], puppets[18] and similar turner's manufactures.

Столяр[1] строгает доски[2] фуганком[3] на верстаке[4], выравнивает их рубанком[5], просверливает буравом[6], выдалбливает долотом[7], скрепляет их одну с другой клеем и шипами и делает рамки для картин[9], столы , ящики[11] и проч.

Токарь[12], сидя на табурете[13], вытачивает резцом[15] на токарном станке[14] шары[16], кегли[17], фигурки[18] и тому подобные токарные изделия.

LXX

Figulus

Figulus[1] sedens super rotâ[2] format ex argillâ[3] ollas[4], urceos[5], tripodes[6], patinas[7], testacea vasa[8], fidelias[9], opercula[10] etc., postea excoquit in furno[11] et incrustat lithargyro. Fracta olla dat testas[12].

Hrnčíř

Hrnčíř[1] sedě za kruhem[2] tvaruje z hlíny[3] hrnce[4], džbány[5], třínohé nádoby[6], mísy[7], hliněné nádobí[8], kachle[9], poklice[10] aj.

Potom je vypaluje v peci[11] a polévá polevou. Rozbitím hrnce vznikají střepy[12].

Der Töpfer

Der Töpfer[1], an der Töpferscheibe[2] sitzend, formt aus Ton[3] Töpfe[4], Krüge[5], dreifüßige Gefäße[6], Schüsseln[7], Tongeschirr[8], Kacheln[9], Deckel[10] u. a.

Dann brennt er sie im Brennofen[11] und überzieht sie mit Glasur. Ein zerbrochener Topf gibt Scherben.[12]

The potter

Гончар

The potter[1] sitting at a wheel[2] shapes pots[4], pitchers[5], crockery[6], bowls[7], earthenware[8], tiles[9], lids[10] etc. from potter's clay[3].

Then he bakes them in an oven[11] and glazes them. A broken pot gives shards[12].

Гончар[1], сидя над гончарным кругом[2], делает из глины[3] горшки[4], кувшины[5] сосуды на трех ножках[6], блюда[7], глиняные вазы[8], печные кафли[9], покрышки[10] и проч.

Затем он обжигает их в печи[11] и наносит глазурь. От разбитого горшка остаются черепки[12].

LXXIII

Putei Ubi fontes deficiunt, effodiuntur putei[1] et circumdantur crepidine[2], ne quis incidat. Inde hauritur aqua urnis (situlis)[3], quae pendent vel perticâ[4] vel fune[5] vel catenâ[6], idque aut tollenone[7] aut girgillo[8] aut cylindro[9] manubriato aut rotâ (tympano)[10] aut denique antliâ[11].

Studny

Kde nejsou prameny, kopou se studny[1] a ohrazují roubením[2], aby tam nikdo nespadl.

Z nich se váží voda vědry[3], která visí na bidle[4] nebo na provaze[5] nebo na řetěze[6], a to váhou[7] nebo kladkou[8] nebo válcem[9] s klikou nebo dutým kolem[10] nebo konečně pumpou[11].

Die Brunnen

Wo es keine Quellen gibt, werden Brunnen[1] gegraben und mit einem Brunnenkasten[2] umgeben, damit niemand hineinfällt.

Daraus schöpft man Wasser mit Eimern[3], die an einer Stange[4] oder an einem Seil[5] oder an einer Kette[6] hängen, und zwar mit Hilfe des Schwengels[7] oder der Rolle[8] oder der Walze[9] mit Handgriff oder des hohlen Rades[10] oder schließlich mit Hilfe der Pumpe[11].

Wells

Колодцы

Where springs are wanting wells[1] are dug. They are rimmed with curbing[2] lest somebody should fall in.

Thence water is drawn in buckets[3] suspended either from a pole[4] or a rope[5], or a chain[6], and that either by a swipe (sweep)[7], or a pulley[8], or a turn[9] with a handle, or a hollow wheel (treadmill)[10], or finally, by a pump[11].

Когда не хватает источников, выкапывают колодцы[1] и окружают их срубом[2], чтобы в них кто-нибудь не упал.

Отсюда черпают воду ведрами[3], которые висят или на шесте[4], или на веревке[5], или на цепи[6]. Делают это при помощи или журавля[7], или блока[8] или ворота[9] с ручкой, или колеса[10], или же, наконец, насоса[11].

31

LXXIV

Balneum Qui lavari cupit aquâ frigidâ, descendit in fluvium[1]. In balneario[2] abluimus squalores sive sedentes in labro[3], sive conscendentes in sudatorium[4] et defricamus nos pumice[6] aut cilicio[5]. In apodyterio[7] exuimus vestes et praecingimus nos castulâ (subligari)[8]. Caput tegimus pileolo[9] et pedes imponimus pelluvio[10]. Balneatrix[11] ministrat aquam situlâ[12], quam haurit ex alveo[13], in quem defluit è canalibus[14]. Balneator[15] scarificat scalpro[16], et applicando cucurbitas[17], extrahit sangvinem subcutaneum, quem abstergit spongiâ[18].

Lázeň

Kdo se chce koupat ve studené vodě, jde do řeky[1].

V lázni[2] omýváme špínu buď vsedě ve vaně[3], nebo vstupujeme do páry na lavici[4] a otíráme se pemzou (mořskou pěnou)[6] nebo žinkou[5]. V šatně[7] svlékáme šaty a opásáme se zástěrkou[8]. Na hlavu si bereme čepičku[9] a nohy dáváme do umyvadla[10]. Lazebnice[11] nosí v nádobě[12] vodu, nabírá ji z vany[13], do které teče z potrubí[14].

Lázeňský[15] lehce řízne nožem[16] a sázeje baňky[17] vysává podkožní krev a utírá ji houbou[18].

Das Bad

Wer im kalten Wasser baden will, geht in den Fluss[1].

Im Bad[2] waschen wir den Schmutz ab, entweder sitzend in der Badewanne[3], oder wir steigen auf die Schwitzbank[4] und reiben uns mit Bimsstein[6] oder einem Waschlappen[5] ab. In der Kleiderablage[7] ziehen wir die Kleider aus und gürten uns mit dem Schurz[8]. Wir bedecken den Kopf mit der Badekappe[9] und stellen die Füße in das Fußbecken[10]. Die Badegehilfin[11] bringt das Wasser im Behälter[12], schöpft es aus der Badewanne[13], in die es aus einem Rohr[14] fließt.

Der Bademeister[15] schneidet leicht mit dem Messer[16] und saugt, indem er die Schropfköpfe[17] ansetzt, das Blut unter der Haut heraus und wischt es mit dem Schwamm[18] ab.

The bath

Баня

He who desires to bathe in cold water goes down to the river[1].

In a bathing-house[2] we wash off the dirt either sitting in a tub[3] or entering a Turkish bath and resting on a bench[4], where we are rubbed with pumice[6] or a washcloth[5]. In the stripping room[7] we take off our clothes and have an apron[8] tied about us. We cover our head with a cap[9] and put our feet in a basin[10]. The bath-woman[11] brings water in a bucket[12] drawn out of a trough[13], into which it runs out of pipes[14].

The bath-keeper[15] lances our skin with a lancet[16], and applying cupping glasses[17] he draws out the blood between the skin and the flesh, which he wipes away with a sponge[18].

Кто желает помыться в холодной воде, тот входит в реку[1].

В бане[2] мы смываем грязь, или сидя в ванне[3], или поднявшись на полок[4], и трем себя пемзой[6] или мочалкой[5]. В раздевальне[7] мы снимаем с себя одежду и опоясываемся передником[8]. Голову мы покрываем шапочкой[9] и ставим ноги в таз[10]. Банщица[11] приготовляет воду в шайке[12]. Она черпает её из бассейна[13], куда (вода) вливается из труб[14].

Банщик[15] надрезает кожу ланцетом[16] и при помощи кровососных банок[17] извлекает подкожную кровь, которую вытирают губкой[18].

32

LXXV

Tonstrina Tonsor[1] in tonstrinâ[2] tondet crines et barbam forpice[3] vel radit novaculâ, quam è thecâ[4] depromit, et lavat super pelvim[5] lixivio, quod defluit è gutturnio[6], ut et sapone[7] et tergit linteo[8], pectit pectine[9], crispat calamistro[10]. Interdum venam secat scalpello[11], ubi sangvis propullulat[12]. Chirurgus curat vulnera.

Holírna

Holič[1] v holírně[2] stříhá nůžkami[3] vlasy a vousy nebo holí břitvou, kterou vyjímá z pouzdra[4], a myje nad miskou[5] louhem tekoucím z nálevky[6], také mýdlem[7] a utírá ručníkem[8]. Češe hřebenem[9]. Kadeří želízkem[10]. Někdy nožem (pouštadlem)[11] otvírá žílu a na tom místě vytryskne krev[12]. Ranhojič hojí rány.

Die Barbierstube

Der Barbier[1] in der Barbierstube[2] schneidet mit der Schere[3] die Haare und den Bart oder rasiert mit dem Rasiermesser, das er aus dem Futteral[4] herausnimmt, und wäscht sie über dem Becken[5] mit Lauge, die aus dem Gießfaß[6] fließt, auch mit Seife[7], und trocknet sie mit dem Handtuch[8]. Er kämmt sie mit dem Kamm[9]. Er kräuselt sie mit der Brennschere[10]. Manchmal lässt er jemanden mit dem Aderlasseisen[11] zur Ader, wobei das Blut herausschießt[12]. Der Wundarzt heilt die Wunden.

The barber's

Цирюльня

The barber[1] in the barber's shop[2] cuts our hair with a pair of scissors[3] and shaves our beard with a razor, which he takes out of his case[4], and he washes us over a basin[5] with sud (lye) running out of a laver[6] and also with soap[7], and wipes us with a towel[8], combs us with a comb[9], and curies our hair with a crisping iron[10]. Sometimes he cuts a vein with a bleed knife[11], where the blood spurts out. The surgeon cures wounds.

Цирюльник[1] в цирюльне[2] стрижет волосы и бороду ножницами[3] или бреет бритвой, которую он вынимает из футляра[4]. Он моет (клиентов) над тазом[5] щелоком, который течет из рукомойника[6], а также мылом[7], и вытирает полотенцем[8], причесывает гребенкой[9], завивает волосы щипцами[10]. Иногда он разрезает жилу ланцетом[11], и из нее брызжет кровь[12]. Лекарь лечит раны.

33

LXXVI

Equile Stabularius (equiso)[1] purgat à fimo[2] stabulum, alligat equum[3] capistro[4] ad praesepe[5] aut, si mordax sit, constringit fiscellâ[6]. Deinde substernit stramenta[7]; avenam ventilat vanno[8], quam paleis miscet ac depromit è cista pabulatoriâ[10], eâque pascit equum, ut et foeno[9]. Postea ducit aquatum ad aquarium[11]. Tum detergit panno[12], depectit strigili[15], insternit gausape[14] et inspicit soleas, an calcei ferrei[13] adhuc firmis clavis haereant.

Stáje

Podkoní[1] čistí stáj od hnoje[2], přivazuje koně[3] za ohlávku[4] k jeslím[5] nebo, je-li kousavý, svírá náhubkem[6]. Potom podestýlá stelivo[7].

Z obroční truhly[10] bere oves, ošatkou[8] jej provětrává a míchá s řezankou. Tím a ještě senem[9] krmí koně.

Pak vede koně napájet k napajedlu[11]. Potom jej utírá suknem[12] a hřebelcuje[15], přikrývá houní[14] a dívá se na kopyta, zda ještě podkovy[13] drží na pevných podkovácích.

Der Pferdestall

Der Stallknecht[1] mistet den Stall aus[2], bindet das Pferd[3] mit der Halfter[4] an die Krippe[5] oder legt ihm, wenn es bissig ist, den Maulkorb[6] an. Dann streut er die Spreu[7].

Aus dem Futterkasten[10] nimmt er den Hafer, durchlüftet ihn in der Strohschüssel[8] und mengt ihn mit dem Häcksel. Damit und noch mit Heu[9] füttert er die Pferde.

Dann führt er die Pferde zum Tränken zum Wassertrog[11]. Danach wischt er sie mit dem Tuch[12] ab, striegelt sie[15], legt ihnen eine Decke[14] über und schaut sich die Hufe an, ob die Hufeisen[13] noch durch feste Hufnägel halten.

The stables

Конюшня

The groom[1] clears the stable of dung[2]. He ties the horse[3] by a halter[4] to the manger[5], or if the horse is vicious he fastens his mouth with a muzzle[6]. Then he strews litter[7] under him.

He winnows oats taken out of a chest with fodder[10] in a basket[8] and mixes it with chopped straw, and feeds the horse with them, as also with hay[9].

Then he leads the horse to the watering-trough[11] to water him. Finally he rubs the horse with a cloth[12], combs him with a curry-comb[15], covers him with a housing rug[14] and looks at the horse's hooves to make sure that the shoes[13] are fast with nails.

Конюх[1] очищает от навоза[2] конюшню, привязывает коня[3] недоузком[4] к яслям[5], или, если он кусается, то укрощает его намордником[6].

Затем он подстилает подстилку[7], провеивает овес в чане[8], смешивает его с мякиной, достает его из ларя[10] и кормит им а также и сеном[9] коня. Затем он ведет его на водопой к бассейну[11].

После этого он вытирает коня куском грубой материи[12], чистит его скребницей[15], накрывает попоной[14] и осматривает подковы[13], прочно ли держится на гвоздях железо.

34

LXXVII

Horologia Horologium dimetitur horas. Solarium[1] ostendit umbrâ gnomonis[2], quota sit hora, sive in pariete, sive in pyxide magneticâ[3]. Clepsydra[4] ostendit horae quatuor partes fluxu arenae, olim aquae. Automaton[5] numerat etiam nocturnas horas circulatione rotarum, quarum maxima trahitur à pondere[6] et ceteras trahit. Tùm indicat horam vel campana[7] suo sonitu, percussa à malleolo, vel extrà index[8] circuitione suâ.

Hodiny

Hodinový stroj odměřuje hodiny. Sluneční hodiny[1] ukazují stínem ukazovadla[2], kolik je hodin, buď na zdi, nebo na kompasu[3].

Přesýpací hodiny[4] ukazují čtyři čtvrti hodiny padáním písku, dříve kapáním vody.

Bicí hodiny[5] počítají také noční hodiny otáčením koleček, z nichž největší se natahuje závažím[6] a pohání ostatní. Tak hodinu oznamuje buď zvuk zvonku[7], na který bije palička, nebo zvenku otáčení ručičky[8].

Die Uhren

Das Uhrwerk misst die Stunden ab. Die Sonnenuhr[1] zeigt mit dem Schatten des Zeigers[2], wie spät es ist, entweder an der Wand oder auf dem Kompass[3].

Die Sanduhr[4] zeigt die vier Viertelstunden an durch das Fallen des Sandes, früher durch das Tropfen des Wassers.

Die Schlaguhr[5] zählt durch das Drehen der Rädchen auch die Nachtstunden, von denen das größte mit einem Gewicht[6] aufgezogen wird und die anderen antreibt. So wird die Stunde entweder durch den Klang der Glocke[7], an die ein Klöppel schlägt, oder außen durch die Drehung des Zeigers[8] angezeigt.

Clocks and dials

Часы

A clock or a dial measures hours, a sun-dial[1] shows what the time is by the shadow of the indicator[2] either on a wall or on a compass[3].

An hourglass[4] shows the four quarters of an hour by the falling of sand, or the dripping of water, as before.

A striking-clock[5] also marks the night hours by the turning of the wheels, the largest of which is wound up by a weight[6] and drives the rest. Then either the sound of a bell[7] struck on by a hammer or the moving hand[8] outside mark the hour.

Часы отмеривают время. Солнечные часы[1] показывают тенью стрелки[2], который час, или на стене, или на компасе[3].

Песочные часы[4] показывают четверти часа струйкой песка, а в прежние времена - струйкой воды.

Часы с боем[5] считают даже ночное время вращением колёс, большее из которых натягивается гирей[6] и увлекает за собой другие колеса. Время указывает звоном колокол[7], по которому ударяют молоточки, или же снаружи стрелка[8] своим круговым ходом.

35

LXXVIII

Pictura Picturae[1] oblectant oculos et ornant conclavia. Pictor[2] pingit effigiem peniculo[3] in tabulâ[4] super pluteo[5], sinistrâ tenens orbem pictorium[6], in quo pigmenta, quae terebantur à puero[7] in marmore. Sculptor et statuarius exsculpunt statuas[8] è ligno et lapide. Caelator et scalptor insculpit aeri (ligno) aliisque metallis figuras[10] et characteres caelo[9].

Malířství

Malby[1] těší oči a zdobí pokoje. Malíř[2] maluje obraz štětcem[3] na desce[4] připevněné na podstavci[5], v levé ruce drží paletu[6] s barvami, které učedník[7] tře na mramoru.

Sochař tesá (vyřezává) sochy[8] ze dřeva a kamene.

Rezbář řeže a rytec ryje rydlem[9] do mědi (dřeva) a do jiných kovů obrazy[10] a písmena.

Die Malerei

Die Gemälde[1] erfreuen die Augen und schmücken die Zimmer. Der Maler[2] malt das Bild mit dem Pinsel[3] auf der Tafel[4], die auf der Staffelei[5] befestigt ist, in der linken Hand hält er die Palette[6] mit Farben, die der Lehrling[7] auf einer Marmorplatte reibt.

Der Bildhauer meißelt (schnitzt) Statuen[8] aus Holz und Stein.

Der Holzschnitzer schnitzt und der Kupferstecher sticht mit dem Sticheisen[9] in Kupfer (Holz) oder andere Metalle Bilder[10] und Buchstaben.

Painting

Живопись

Paintings[1] delight the eye and adorn the rooms. The painter[2] paints a picture with a brush[3] on a wooden board[4] fastened to an easel[5] holding in his left hand the palette[6] with paints, which his disciple[7] grinds to powder on marble.

The sculptor carves statues[8] from wood and stone.

The woodcarver carves and the engraver engraves images[10] and characters with an engraving tool[9] in wood or copper and other metals.

Картины[1] радуют глаз и украшают комнаты. Художник[2] рисует портрет кистью[3] на доске[4], поставленной на мольберте[5]. Левой рукой он держит палитру[6], на которой находятся краски, растираемые учеником[7] на мраморе.

Скульптор и ваятель изготовляют статуи[8] из дерева и камня.

Гравер и резчик вырезает на меди (дереве) и других металлах фигуры[10] и буквы резцом[9].

36

LXXIX

Specularia Specula[1] parantur, ut homines seipsos intueantur; perspicilla[2], ut acriùs cernat, qui habet debilem visum. Per telescopium[3] videntur remota ut proxima; in microscopio[4] pulex apparet ut porcellus. Radii solis accendunt ligna per urens vitrum[5].

Optická skla

Zrcadla[1] se vyrábějí, aby se v nich lidé viděli; brýle[2], aby lépe viděl ten, kdo má špatný zrak.

Dalekohledem[3] jsou vidět vzdálené věci, jako by byly velmi blízko. Ve zvětšovacím skle[4] se jeví blecha jako prasátko.

Sluneční paprsky zapalují dřevo čočkou[5].

Optische Gläser

Die Spiegel[1] werden hergestellt, damit sich die Menschen in ihnen sehen können; die Brillen[2], damit derjenige besser sieht, der schlechte Augen hat.

Mit dem Fernglas[3] kann man entfernte Dinge sehen, als ob sie sehr nah wären. Im Vergrößerungsglas[4] erscheint ein Floh wie ein Ferkel.

Die Sonnenstrahlen zünden das Holz durch das Brennglas[5] an.

Optical glasses

Оптические стекла

Looking-glasses[1] are made in order that people may see themselves in them; and spectacles[2] in order that he whose eyesight is failing may see better.

With the help of a telescope[3] remote things can be seen as things that are very near. Through a magnifying glass[4] a flea looks like a little hog.

And the rays of the sun set wood on fire if they pass through a lens[5].

Зеркала[1] изготовляются для того, чтобы люди видели в них самих себя; очки[2] - для того, чтобы человек со слабым зрением видел яснее.

Через телескоп[3] отдаленные предметы видны, как ближайшие. В микроскопе[4] блоха кажется величиной с поросенка.

Лучи солнца зажигают дерево через зажигательное стекло[5].

37

LXXX

Vietor Vietor[1], amictus praecinctorio[2], facit è virgis colurnis[3] super sellam incisoriam[4] scalpro bimanubriato[5] circulos et ex ligno assulas[6]. Ex assulis conficit dolia[7] et cupas[8] bino fundo, tùm lacûs[9], labra[10], trimodia[11] et situlas[12] uno fundo. Postea vincit circulis[13], quos ligat ope falcis vietoriae[14] salignis viminibus[15] at aptat tudite[16] ac tudiculâ[17].

Bednář

Bednář[1] opásaný zástěrou[2] dělá z lískových prutů[3] na vlku[4] pořízem[5] obruče a ze dřeva duhy[6].

Z duh dělá sudy[7] a bečky[8] se dvěma dny, pak kádě[9], škopky[10], putny[11] a vědra[12] s jedním dnem. Potom je váže obručemi[13], které spíná pomocí bednářského nože[14] vrbovým proutím[15] a pobíjí paličkou[16] a klínem[17].

vlk – struhací stolice
poříz – nůž s rukojeťmi na obou koncích k podélnému ořezávání dřeva

Der Böttcher

Der Böttcher[1], die Schürze[2] umgebunden, macht aus Haselruten[3] auf der Schnitzbank[4] mit dem Schnitzmesser[5] Reifen und aus Holz Dauben[6].

Aus den Dauben macht er Fässer[7] und Tonnen[8] mit zwei Böden, dann Kufen[9], Waschfässer[10], Butten[11] und Eimer[12] mit einem Boden. Dann bindet er sie mit Reifen[13], die er mit Hilfe des Bindermessers[14] mit Weidenruten[15] heftet und mit Schlegel[16] und Keil[17] anschlägt.

Schnitzbank – Raspelbank
Schnitzmesser – Messer mit Griffen auf beiden Seiten zum Beschneiden von Holz in Längsrichtung

The cooper

Бочар

The cooper[1] having an apron[2] tied about him makes hoops from hazel rods[3] on a cutting bench[4] using a draw-knife[5] and lags[6] from timber.

He uses lags to make hogsheads (barrels)[7] and casks[8] with two bottoms, and tubs[9], soes[10], wooden buckets[11] and kits[12] with one bottom. Then he binds them with hoops[13], which he ties fast with osiers[15] using a cooper's knife[14] and fastens them with a mallet[16] and a wedge[17].

Бочар[1], одетый в передник[2], изготовляет из ореховых ветвей[3] на скамье[4] для вырезываний ножом с двумя ручками[5] обручи, а из дерева - клепки[6].

Из клепок он изготовляет бочки большие[7] и малые[8] с двойным дном. Затем он изготовляет кадки[9], чаны[10], ушаты[11] и лохани[12] с одним дном. Потом он соединяет клепки обручами[13], которые связывает при помощи бочарного ножа[14] прутьями[15], и набивает их при помощи колотушки[16] и клина[1].

38

LXXXI

Restio et lorarius

Restio[1] contorquet funes[2] agitatione rotulae[3] è stupâ[4] vel cannabi, quam sibi circumdat. Sic fiunt primò funiculi[5], tum restes[6], tandem rudentes[7]. Lorarius[8] scindit de corio bubulo[9] loramenta[10], frena[11], cingula[12], baltheos[13], crumenas[14], hippoperas[15] etc.

Provazník a řemenář

Provazník[1] točením přeslice[3] kroutí provazy[2] z koudele[4] nebo konopí, které dává kolem sebe. Tak se dělají nejdříve provázky (motouzy)[5], potom provazy[6], nakonec lana[7].

Řemenář[8] krájí z hovězí kůže[9] řemeny[10], uzdy[11], popruhy[12], závěsníky[13], tašky[14], tlumoky[15] aj.

závěsník – řemen upravený tak, aby se naň mohlo něco zavěsit, např. sekerka

Der Seiler und der Riemer

Der Seiler[1] dreht Seile[2] durch Drehen des Rockens[3] aus Werg[4] oder Hanf, die er um sich legt. So werden zuerst Seilgarne (Bindfäden)[5], dann Stricke[6], schließlich Taue[7] gemacht.

Der Riemer[8] schneidet aus der Rinderhaut[9] Riemen[10], Zäume[11], Gurte[12], Gehänge[13], Taschen[14], Felleisen[15] u. a.

s Gehänge – ein so hergerichteter Riemen, dass man an ihn etwas hängen kann, z. B. eine Axt

The roper and the strapmaker

Веревочник и шорник

The roper[1] twists cords[2] of tow[4] or hemp, which he puts about him by turning the distaff[3]. Thus are made, first, cords[5], then ropes[6,7] and finally cables[7].

The strapmaker[8] cuts thongs[10], bridles[11], straps[12], sword-belts[13], bags[14], rucksacks[15] etc. from leather[9].

Веревочник[1] скручивает веревки[2] посредством вращения колеса[3] из пакли[4] или пеньки, которую он кладет около себя. Так изготовляются сначала бечевки[5], затем веревки[6] и, наконец, канаты[7].

Шорник[8] вырезает из воловьей кожи[9] ремни[10], повода[11], пояса[12], перевязи[13], сумки[14], вещмешки[15] и проч.

39

LXXXII

Viator

Viator[1] portat humeris in bulgâ[2], quae capere nequit funda[3] vel marsupium[4]; tegitur lacernâ[5], manu tenet baculum[6], quo se fulciat; opus habet viatico, ut et fido et facundo comite[7]. Propter semitam[8], nisi sit tritus callis, non deserat viam regiam[9]. Avia[10] et bivia[11] fallunt et seducunt in salebras[12]; non aequè tramites[13] et compita[14]. Sciscitetur igitur obvios[15], quà sit eundum, et caveat praedones[16] ut in viâ sic etiam in diversorio[17], ubi pernoctat.

Pocestný

Pocestný[1] nese na ramenou v ranci[2], co nemůže vzít do kapsy[3] nebo do tašky[4] u opasku.

Odívá se pláštěm[5], v ruce drží hůl[6], o niž se opírá.

Potřebuje peníze na útratu stejně jako věrného a hovorného společníka[7]. Kvůli stezce[8], není-li to vyšlapaná cesta, ať neopouští silnici[9]. Scestí[10] a rozcestí[11] klamou a zavádějí do roklin[12], rovněž polní cesty[13] a křižovatky[14]. Ať se ptá potkávaných[15], kudy má jít, a má se na pozoru před loupežníky[16] jak na cestě, tak i v hospodě, kde nocuje.

Der Wandersmann

Der Wandersmann[1] trägt im Felleisen[2] auf den Schultern, was nicht in die Tasche[3] oder Gürteltasche[4] geht.

Er bedeckt sich mit dem Mantel[5], in der Hand hält er einen Stock[6], auf den er sich stützt.

Er braucht Geld zum Verzehr ebenso wie einen treuen und gesprächigen Gefährten[7]. Wegen eines Steges[8], wenn es nicht gerade ein ausgetretener Pfad ist, verlasse er nicht die Landstraße[9]. Abwege[10] und Scheidewege[11] täuschen und führen in Schluchten[12], ebenso wie die Feldwege[13] und Kreuzungen[14]. Er frage die, die ihm entgegen kommen[15], wie er gehen soll, und hüte sich vor den Räubern[16], sowohl auf der Straße als auch im Gasthaus[17], wo er übernachtet.

The wayfarer

Путник

The wayfarer[1] carries on his shoulders in a pack[2] the things that his satchel[3] or pouch[4] tied to his belt cannot hold.

He is covered with a cloak[5] and holds a staff[6] in his hand, on which he leans.

He needs money for his expenses as well as a faithful and talkative companion[7]. Do not let him forsake the road[9] for a path-way[8] unless it is a beaten path. The places where two paths meet[10] or part[11] can be deceptive and lead wayfarers into hollows[12], so do bypaths[13] and cross ways[14]. Let him ask the oncoming wayfarers[15] which way he is to go; and let him take heed of robbers[16] on the way, as well as in an inn[17] where he lodges at night.

Путник[1] несет на плечах в мешке[2] то, что не может поместиться в боковой сумке[3] и в кармане[4].

Он одет в дорожный плащ[5]. Держит в руке палку[6], на которую он может опираться.

Ему нужны деньги на путевые расходы, а также верный разговорчивый спутник[7]. Пусть он не сворачивает с большой дороги[9] на боковую тропинку[8], если она не утоптана. Бездорожные места[10] и распутья[11] обманывают его и заводят в трудно проходимые места[12], тропинки[13] и перекрестки[14]. Поэтому пусть он спрашивает у встречных[15], куда нужно идти. И пусть он остерегается разбойников[16] как на дороге, так и в гостинице[17], где он ночует.

LXXXIII

Eques

Eques[1] imponit equo[2] ephippium[3], idque ei succingit cingulo[4]; insternit etiam dorsuale[5], ornat eum phaleris, frontali[6], antilenâ[7] et postilenâ[8]. Deinde insilit in equum, indit pedes stapedibus[9], sinistrâ capessit lorum (habenam)[10] freni[11], quo equum flectit et retinet; tum admovet calcaria[12] incitatque virgulâ[13] et coërcet postomide[14]. Bulgae[15] pendent ex ephippii apice[16], quibus inseruntur sclopi[17]. Ipse eques induitur chlamyde[18]; lacerna à tergo revincitur[19]. Veredarius[20] cursim equo fertur.

Jezdec

Jezdec[1] klade na koně[2] sedlo[3] a připíná je popruhem[4]. Dává na něho také pokrývku[5]; zdobí jej pochvami, náčelníkem[6], náprsníkem[7] a podocasníkem[8]. Potom skáče na koně, dává nohy do třmenů[9], do levé ruky bere otěž[10] s udidlem[11], kterým koně směruje (řídí) a přidržuje.

Pak zatíná ostruhy[12], pobízí prutem[13] a zdržuje náhubkem[14]. Vaky[15], do kterých se kladou pistole[17], visí na jablku[16] sedla. Jezdec sám bývá oblečen do jezdeckého oděvu[18], plášť mívá vzadu uvázaný[19].

Postilion[20] rychle uhání.

Der Reiter

Der Reiter[1] legt dem Pferd[2] den Sattel[3] auf und schnallt ihn mit dem Gurt[4] an. Er legt ihm auch eine Decke[5] auf; schmückt es mit dem Riemenzeug, dem Stirnriemen[6], dem Brustriemen[7] und dem Schwanzriemen[8]. Dann schwingt er sich auf das Pferd, setzt die Füße in die Steigbügel[9], in die linke Hand nimmt er die Zügel[10] mit dem Zaumgebiss[11], mit dem er das Pferd lenkt, und anhält.

Dann gibt er ihm die Sporen[12], treibt es mit der Reitgerte[13] an und zügelt es mit dem Mundstück[14]. Die Satteltaschen[15], in die Pistolen[17] gesteckt werden, hängen am Sattelknopf[16]. Der Reiter selbst trägt einen Reiteranzug[18], ein Mantel[19] ist hinten aufgebunden.

Der Postillion[20] reitet schnell dahin.

The horseman

The horseman[1] sets a saddle[3] on his horse[2] and girds it with a girth[4]. He also lays saddle cloth[5] on him. He adorns him with trappings, a headband[6], a breastband[7] and a crupper[8]. Then he mounts his horse, puts his feet into the stirrups[9], takes up the reins[10] with curb[11] in his left hand thus guiding and holding the horse.

Then he sets spurs[12] to the horse and urges him on with a switch[13], and calms him with the help of a muzzle[14]. The holsters[15], in which the pistols[17] are put, hang down from the pummel[16] of the saddle. The horseman himself is invariably clad in a short rider's coat and breeches[18], his cloak being tied behind him[19].

A post[20] rides at full gallop.

Всадник

Всадник[1] надевает на лошадь[2] седло[3] и прикрепляет его внизу подпругой[4]. Он покрывает лошадь также попоной[5], украшает ее красивой сбруей, лобным[6], нагружным[7] и задним ремнем[8].

Затем он вскакивает на коня, вдевает ноги в стремена[9], берет левой рукой повод[10] узды[11], которой он направляет и сдерживает лошадь. Затем он дает ей шпоры[12], погоняет хлыстом[13] и укрощает мундштуком[14]. Дорожные сумки[15] висят на луке седла[16], в них кладутся пистолеты[17]. Сам всадник одет в короткий плащ[18]; длинный[19] привязан за спиной.

Курьер[20] мчится на лошади быстрой рысью.

LXXXV

Vectura

Auriga[1] jungit parippum[1] sellario[3] ad temonem de helcio[4] dependentibus loris vel catenis[5]. Deinde insidet sellario, agit ante se antecessores[6] scuticâ[7] et flectit funibus[8]. Axem ungit ex vase ungventario[9] axungiâ et inhibet rotam sufflamine[10] in praecipiti descensu. Et sic aurigatur per orbitas[11]. Magnates vehuntur sejugibus[12], duobus rhedariis, curru pensili, qui vocatur carpentum (pilentum)[13]; alii bijugibus[14] essedo[15]. Arcerae[16] et lecticae[17] portantur à duobus equis. Per invios montes utuntur loco curruum jumentis clitellariis[18].

Povoznictví

Vozka[1] zapřahá k oji náručního koně[2] s podsedním[3] řemeny nebo řetězy[5] visícími od chomoutu[4]. Pak sedá na podsedního koně, žene před sebou bičem[7] přední koně[6] a řídí opratěmi[8]. Nápravu (osu) maže kolomazí z kolomaznice[9] a na příkrém sjezdu brzdí kolo zarážkou[10]. A tak jede po kolejích[11]. Velcí pánové se vozí šestero koňmi[12] s dvěma kočími ve visutém voze, který se jmenuje kočár[13]; jiní dvěma koni[14] v dvoukolovém vozíku[15]. Nosítka[16] a nosicí lůžka[17] bývají nesena dvěma koni. V neschůdných horách se užívají místo vozů soumaři[18].

náruční kůň – kůň jdoucí po pravé straně ve směru jízdy
podsední kůň – kůň jdoucí po levé straně ve směru jízdy

Das Fuhrwesen

Der Fuhrmann[1] spannt das Handpferd[2] mit den vom Kummet[4] herabhängenden Riemen oder Ketten[5] zu dem Sattelpferd[3] an die Deichsel. Dann setzt er sich auf das Sattelpferd, treibt die Vorderpferde[6] mit der Peitsche[7] vor sich her und lenkt sie mit den Zügeln[8]. Die Radachse schmiert er mit Wagenschmiere aus der Schmierbüchse[9] und auf einem steilen Abhang bremst er das Rad mit der Hemmkette[10]. Und so fährt er in der Wagenspur[11]. Große Herren fahren mit sechs Pferden[12] und zwei Kutschern in einem Hängewagen, der Kutsche[13] genannt wird; andere mit zwei Pferden[14] in der Kalesche[15]. Die Rossbahren[16] und Sänften[17] werden von zwei Pferden getragen. Im unwegsamen Gebirge gebraucht man statt der Wagen Lasttiere[18].

das Handpferd – das auf der rechten Seite in Fahrtrichtung gehende Pferd; das Sattelpferd – das auf der linken Seite in Fahrtrichtung gehende Pferd

The coachman's trade

Езда

The coachman[1] harnesses the off horse[2] and the saddle horse[3] to the shaft (thill) with thongs or chains[5] hanging from the horse's collar[4]. Then he mounts the saddle horse and drives the horses before him[6] with a whip[7] and guides them with reins[8]. He greases the axle tree with axle grease from an axle-grease pot[9], and he brakes the wheel with a skid-shoe[10]. And thus the coach is driven in wheel ruts[11]. Noble gentlemen travel in hanging waggons called coaches[13] driven by six horses[12] and two coachmen, others in two-wheel carriages called chariots[15] driven by two horses[14]. Horse-litters[16,17] are carried by two horses. In impassable mountains pack horses[18] are used instead of waggons.

Возница[1] припрягает пристяжную лошадь[2] к седловой[3] у дышла при помощи ремней или цепей[5], идущих от хомута[4]. Затем он садится на седловую лошадь, погоняет передних лошадей[6] кнутом[7] и направляет их вожжами[8]. Ось он смазывает из посудины для мази[9] колесной мазью и притормаживает колеса тормозной цепью[10] при крутом спуске. И так он направляет повозку по колеям[11]. Вельможи ездят на шестиконной упряжке[12] с двумя кучерами в подвешенной (на ремнях) коляске, которая называется каретой[13]. Другие ездят на двуконной упряжке[14] в коляске[15]. Носилки для сидения[16] и носилки для лежания[17] несут две лошади. В горах, где нет дорог, мы пользуемся вместо повозок вьючным скотом[18].

LXXXVI

Transitus aquarum

Trajecturus flumen ne madefiat, excogitati sunt pontes[1] pro vehiculis et ponticuli[2] pro peditibus. Si flumen vadum[3] habet, vadatur[4]. Struuntur etiam rates[5] ex compactis tignis vel pontones[6] consolidatis ex trabibus, ne aquam excipiant. Porrò fabricantur lintres (lembi)[7], qui aguntur remo[8] vel conto[9], aut trahuntur remulco[10].

Převoz

Aby se ti, kdo chtějí přes řeku, neumáčeli, vymysleli lidé mosty[1] pro vozy a lávky pro pěší[2].

Má-li řeka brod[3], brodí se přes ni[4]. Také se dělají vory[5] ze spojených trámů nebo pramice[6] ze sbitých břeven, aby jimi nepronikala voda. Dále se vyrábějí čluny[7], které se pohánějí veslem[8] nebo tyčí[9] nebo se táhnou lanem[10].

Die Überfahrt

Damit diejenigen, die über einen Fluss wollen, sich nicht nass machen, haben die Menschen Brücken[1] für die Wagen und Stege für die Fußgänger[2] erdacht.

Wenn der Fluss eine Furt[3] hat, wird er durchwatet[4]. Man baut auch Flöße[5] aus zusammengefügten Balken oder Fähren[6] aus zusammengeschlagenen Bauhölzern, damit sie kein Wasser durchlassen. Weiter werden Kähne[7] hergestellt, die mit dem Ruder[8] oder mit der Stange[9] fortbewegt oder mit dem Tau[10] gezogen werden.

A ferry

Переправа по воде

Lest they that are to cross a river should be all wet, bridges[1] were invented for carriages, and foot-bridges[2] for footmen.

If a river has a ford[3], it is waded over[4]. Rafts[5] are also made from timber pinned together, or ferry boats (punts)[6] from planks fastened together so that water may not leak through. And boats[7] are made that are rowed with a single oar (scull)[8] or a pole[9], or towed with a hauling-rope[10].

Для того, чтобы перейти через реку и не вымокнуть, придуманы мосты[1] для повозок и мостки[2] для пешеходов.

Если река имеет мель[3], ее переходят вброд[4]. Строят также плоты[5] из связанных бревен или понтоны[6] из сбитых балок, чтобы они не пропускали воду. Далее строятся лодки[7], которые приводятся в движение веслом[8] или шестом[9], или перетаскиваются канатом[10].

LXXXVII

Natatus Solent etiam tranare aquas super scirpeum fascem[1], porrò super inflatas boum vesicas[2], deinde liberè jactatu manuum pedumque[3]. Tandem nonnulli didicerunt calcare aquam[4], cingulotenus immersi et vestes supra caput gestantes. Urinator[5] etiam natare potest sub aquâ ut piscis.

Plavání

Také lidé přeplouvají vodu na otýpce ze sítí[1], pak na nafouknutých volských měchýřích[2], potom volným pohybem rukou a nohou[3].

Konečně se někteří naučili šlapat vodu[4], jsouce po pás ponoření a nesouce šaty nad hlavou.

Potápěč[5] může také plavat pod vodou jako ryba.

Das Schwimmen

Auch Menschen überqueren das Wasser auf einem Bündel Binsen[1], ferner auf aufgeblasenen Ochsenblasen[2], dann durch freie Bewegung der Hände und Füße[3].

Schließlich haben einige gelernt, Wasser zu treten[4], indem sie bis zum Gürtel im Wasser sind und die Kleider über dem Kopf tragen.

Der Taucher[5] kann auch unter Wasser wie ein Fisch schwimmen.

Swimming

Плавание

Men also swim across water on a bundle of rushes[1], upon blown beast bladders[2] and by freely moving their arms and legs[3].

And, lastly, some people learned to tread water[4] having plunged into water up to their girdle-steads (waists) carrying their clothes over their heads.

A diver[5] can also swim under water like a fish.

Люди переплывают по воде также на связках тростника[1], далее - на надутых бычьих пузырях[2], затем при помощи свободного движения рук и ног[3].

Наконец, некоторые умеют ходить в воде[4], погрузившись в нее до пояса и неся над головой одежду.

Водолаз[5] может плавать даже под водой, как рыба.

LXXXVIII

Navis actuaria

Navis instructa remis[1] est uniremis[2] vel biremis etc. In quâ remiges[3], considentes per transtra ad scalmos[4], aquam remis pellendo remigant[5]. Proreta[6] stans in prorâ et gubernator[7], sedens in puppi tenensque clavum[8], gubernant navigium.

Veslice

Veslice[1] má jednu nebo dvě lavice[2], na kterých sedí veslaři[3] na bocích lodi[4] a rozrážejíce vodu vesly veslují[5]. Loď řídí kapitán[6] stojící vpředu a kormidelník[7], který sedí na zádi a drží kormidlo[8].

Das Ruderschiff

Das Ruderschiff[1] hat eine oder zwei Ruderbänke[2], auf denen die Ruderer[3] an den Bordseiten[4] sitzen und mit den Rudern ins Wasser schlagend rudern[5]. Das Schiff wird vom Kapitän[6] geführt, der auf dem Vorderteil steht, und vom Steuermann[7], der am Heck sitzt und das Steuerruder[8] hält.

A galley

Гребное судно

A galley (rowing boat)[1] has one or two benches[2] on which oarsmen[3] sit at the ship's beam-ends[4] rowing[5] by striking the water with oars. The shipmaster[6] standing in the forecastle and the helmsman[7] sitting in the stern and holding the rudder[8] steer the vessel.

Гребная (весельная) лодка[1] бывает с одним или двумя рядами весел[2]. Гребцы[3], сидя на скамьях у уключин[4] и рассекая воду, гребут веслами[5]. Штурман[6], стоя на носу, а кормчий[7], сидя на корме и держа руль[8], направляют ход судна.

Navis oneraria

Navigium[1] impellitur non remis, sed solùm vi ventorum. In illo erigitur malus[2] undique ad oras navis funibus[3] firmatus; cui annectuntur antennae[4], his vela[5], quae ad ventum expanduntur[6] et versoriis[7] versantur. Vela sunt: artemon[8], dolon[9] et epidromus[10]. In prorâ est rostrum[11]. In puppi signum (vexillum)[12] ponitur. In malo est corbis[13], navis specula, et supra galeam aplustre[14], ventorum index. Anchorâ[15] navis sistitur. Bolide[16] profunditas exploratur. Navigantes deambulant in tabulato[17]. Nautae cursitant per foros[18]. Atque ita etiam maria trajiciuntur.

Nákladní loď

Koráb[1] se nepohání vesly, ale silou větru. Tyčí se v něm stěžeň[2], upevněný provazy[3] ze všech stran k okrajům lodi. Na něm se zavěšují ráhna[4], na ráhnech plachty[5], které se proti větru rozvinují[6] a pomocí provazů otáčejí[7]. Plachty jsou: veliká[8], přední[9] a zadní[10]. Vpředu je špice (nos)[11], vzadu se vztyčuje prapor[12]. Na stěžni je koš[13], lodní hlásnice, a nad ním korouhvička[14], ukazatel větru. Kotvou[15] se loď zastavuje. Olovnicí[16] se zkoumá hloubka. Cestující chodí po palubě[17]. Námořníci běhají po lodních chodbách[18]. A tak se plaví přes moře.

Das Frachtschiff

Das Schiff[1] wird nicht durch Ruder, sondern durch den Wind angetrieben. Auf ihm ist der Mastbaum[2] aufgerichtet, der auf allen Seiten am Rand des Schiffes mit Tauen[3] befestigt ist. An ihn werden Rahen[4] gehängt, an die Rahen die Segel[5], die gegen den Wind ausgespannt[6] und mit Tauen hin und her bewegt werden[7]. Es gibt folgende Segel: das Großsegel[8], das Vordersegel[9] und das Hintersegel[10]. Vorn ist der Schiffsschnabel[11] (Bug), hinten wird die Flagge[12] gehisst. Am Mastbaum ist der Mastkorb[13], die Schiffswarte, und über ihm dreht sich die Wetterfahne[14], der Anzeiger der Winde. Mit dem Anker[15] wird das Schiff angehalten. Mit dem Senkblei[16] wird die Wassertiefe erkundet. Die Schiffsreisenden spazieren auf dem Deck[17]. Die Matrosen laufen in den Schiffsgängen[18]. Und so segelt man über das Meer.

A cargo ship

Грузовой корабль

A bark[1] is not driven forward by oars but by the force of the wind. A mast[2] rises high above it fastened with shrouds[3] on all the sides of the ship. The sail yards[4] are hung to the mast; they support the sails[5], which are spread open[6] against the wind and turned by ropes (halyards)[7]. The sails are: the mainsail[8], the foresail[9] and the mizzen sail or poop sail[10]. The prow (beak)[11] is the foremost part of the ship. The flag (ancient)[12] is hoisted in the stern. On the mast there is the fore top[13], the watch-post of the ship, and over the foretop a vane[14] showing which way the wind stands. The ship is stayed with an anchor[15]. The depth (of the sea) is fathomed with a plummet[16]. Passengers walk up and down the deck[17]. The seamen run to and fro along the ship's passages[18]. And so we sail the seas.

Судно[1] приводится в движение не веслами, а силой ветра. На нем возвышается мачта[2], прикрепленная со всех сторон к бортам корабля канатами[3]. К ней привязываются реи[4], а к ним паруса[5], которые распускаются против ветра[6] и поворачиваются при помощи канатов[7]. Паруса бывают следующими: главный[8], передний[9] и задний[10]. На носу корабля находится клюв[11]. На корме - флаг[12]. На мачте находится корзина[13], наблюдательный пост корабля, и над ее верхушкой - флюгер[14], указатель направления ветров. При помощи якоря[15] корабль останавливается. При помощи лота[16] измеряется глубина. Пассажиры гуляют по палубе[17]. Матросы бегают по корабельным ходам[18]. Таким образом плавают по морю.

XCI

Ars scriptoria Veteres scribebant in tabellis ceratis aeneo stylo[1], cujus cuspidatâ parte[2] exarabantur literae, planâ[3] verò parte rursum obliterabantur. Deinde literas pingebant subtili calamo[4]. Nos utimur anserinâ pennâ[5], cujus caulem[6] temperamus scalpello[7], tùm intingimus crenam in atramentarium[8], quod obstruitur operculo[9], et pennas recondimus in calamario[10]. Scripturam siccamus chartâ bibulâ vel arenâ scriptoriâ ex thecâ pulverariâ[11]. Et nos quidem scribimus à sinistrâ dextrorsum[12], Ebraei à dextrâ sinistrorsum[13], Chinenses et Indi alii à summo deorsum[14].

Písařské umění

Dříve lidé psávali na voskových deskách kovovým rydlem[1], jehož špičatým koncem[2] se písmena vyrývala, plochým koncem[3] se zatírala. Potom psali písmena tenkou třtinou[4].

My užíváme husí péro[5], jehož brk[6] upravujeme nožíkem[7], pak namáčíme hrot do kalamáře[8], který se uzavírá zátkou[9], a péra ukládáme do pouzdra[10].

Písmo sušíme savým papírem nebo posypacím pískem z posýpátka[11]. A tak my píšeme od levé ruky napravo[12], Židé od pravé ruky k levé ruce[13], Číňané a jiní Indové shora dolů[14].

Die Schreibkunst

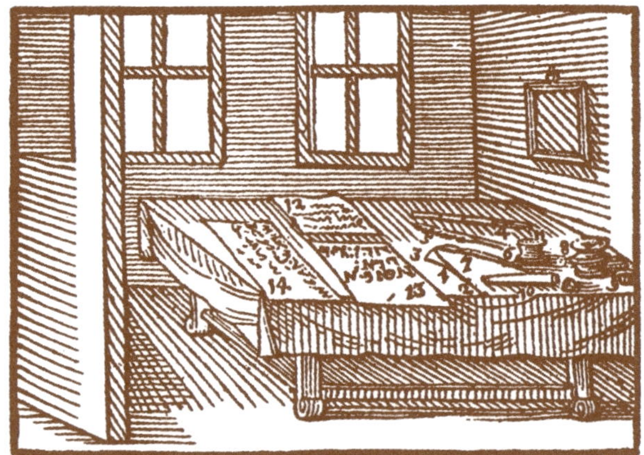

Früher schrieb man auf Wachstafeln mit einem Metallgriffel[1], mit dessen spitzem Ende[2] die Buchstaben eingeritzt, mit dem breiten Ende[3] gelöscht wurden. Dann schrieb man die Buchstaben mit einem dünnen Rohr[4].

Wir gebrauchen die Gänsefeder[5], deren Kiel[6] wir mit dem Federmesser[7] zuschneiden, dann tauchen wir die Spitze in das Tintenfass[8], das mit dem Deckel[9] verschlossen wird, und die Federn stecken wir in die Hülse[10].

Die Schrift trocknen wir mit dem Löschblatt oder mit Streusand aus der Sandbüchse[11]. Und so schreiben wir von der linken Hand nach rechts[12]. Die Juden von der rechten Hand zur linken[13], die Chinesen und andere Inder von oben nach unten[14].

In olden times people wrote on wax-covered tables with metal engraving tools[1], with the sharp ends[2] of which letters were engraved, and rubbed out again with the broad ends[3]. Later they wrote letters with slender reeds[4].

We use a goose quill[5], the stem[6] of which we shape with a penknife[7]; then we dip the nib in an ink-pot[8], which has a stopper[9], and we put our pens into a penner[10].

We dry what we have written with blotting-paper or blotting-sand using a sand-box (castor)[11]. And so we write starting from the left to the right[12], the Hebrews from the right to the left[13], the Chinese and other Indians from the top downwards[14].

Раньше писали на навощенных дощечках медным резцом[1], заостренным концом которого[2] выцарапывали буквы, а тупым[3] - затирали. Затем люди вычерчивали буквы тонким тростником[4].

Мы пользуемся гусиным пером[5], ствол которого[6] мы заостряем ножом[7]. Потом мы погружаем расщеп пера в чернильницу[8], которая закрывается крышечкой[9]. Перья мы прячем в пенале[10].

Написанное мы осушаем промокашкой или песком из песочной баночки[11]. Мы пишем слева направо[12]. Евреи - справа налево[13]. Китайцы, индийцы и другие - сверху вниз[14].

XCII

Papyrus Veteres utebantur faginis tabulis[1] aut foliis[2], ut et libris[3] arborum, praesertim arbusculae Aegyptiae, cui nomen erat papyrus. Nunc est in usu charta, quam chartopoeus in molâ papyraceâ[4] conficit è linteis vetustis[5], quae in pulmentum contunduntur[6], quod normulis haustum[7] diducit in plagulas[8] aërique exponit, ut siccentur. Harum viginti quinque faciunt scapum[9], viginti scapi volumen minus[10], horum decem volumen majus[11]. Diu duraturum scribitur in membranâ[12].

Papír

Dříve lidé užívali bukových desek[1] nebo listí[2], jakož i lýka[3], zvláště egyptského keře, jemuž říkali papyrus. Nyní se užívá papír, který dělá papírník v papírně[4] ze lněných hadrů[5]; ty se utloukají na kašičku[6], která se nabírá na síta[7], roztírá do archů[8] a ty se rozkládají na vzduch, aby uschly.

Pětadvacet archů tvoří knihu[9], dvacet knih rys[10], deset rysů balík[11]. Co má dlouho trvat, píše se na pergamenu[12].

Das Papier

Früher benutzten die Menschen Buchentafeln[1] oder Blätter[2], sowie Rindenbast[3], besonders von einer ägyptischen Staude, die sie Papyrus nannten. Jetzt verwendet man Papier, das der Papiermacher in der Papiermühle[4] aus Leinenlumpen herstellt[5]; sie werden zu einem Brei[6] zerstampft, der mit Sieben[7] geschöpft, in Bogen[8] ausgebreitet wird, und diese werden an die Luft gelegt, damit sie trocknen.

Fünfundzwanzig Bogen bilden ein Buch[9], zwanzig Bücher einen Rieß[10], zehn Rieße einen Ballen[11]. Was lange bestehen soll, wird auf Pergament[12] geschrieben.

Paper

Бумага

Formely, people used beech boards[1] or leaves[2], and also the inner bark (bass)[3], particularly of an Egyptian shrub, which they called papyrus. Nowadays, paper is in use, which the paper-maker makes in a paper-mill[4] from linen rags[5]; these are beaten up to pulp[6], scooped up on to frames[7], spread into sheets[8] and placed in the air to dry.

Twenty-five of these make a quire[9], twenty quires a ream[10], and ten of these a bale of paper[11]. What is to last longer is written on parchment[12].

Раньше люди пользовались буковыми дощечками[1], или листьями[2], а также корой[3] деревьев, в особенности египетского деревца, которое называлось папирус. Теперь употребляется бумага, которую изготовляет бумажник на бумажной мельнице[4] из старых тряпок[5], которые растираются в кашицу[6] и он разливает ее в формы[7], растягивает в листы[8] и выставляет на воздух для просушки.

Двадцать пять листов образуют десть[9], двадцать дестей - стопу[10], десять стоп - кипу[11]. То, что предназначено для продолжительного существования, пишут на пергаменте[12].

XCIII

Typographia Typographus habet aeneos typos magno numero, distributos per loculamenta[5]. Typotheta[1] eximit illos singulatim et componit (secundùm exemplar, quod retinaculo[2] sibi praefixum est) verba gnomone[3], donec fiat versus; hunc indit formae[4], donec fiat pagina[6]; hanc iterum tabulae compositoriae[7], eamque coarctat marginibus ferreis[8] ope cochlearum[9], ne dilabantur, ac subjicit prelo[10]. Tùm impressor ope pilarum[11] illinit atramento impressorio, superimponit operculo[12] inditas chartas, quas in tigello[13] subditas trochleae[14] et suculâ[15] impressas facit typos imbibere.

Knihtiskařství

Typograf má velké množství liter ulitých z kovů a rozdělených v přihrádkách[5]. Sazeč[1] je vybírá jednu po druhé a sází (podle rukopisu, který stojí před ním nastrčený na držáku[2]) slova do sázítka[3], až se vytvoří řádka. Ty dává na desku[4], až vznikne strana[6]. Strany klade na prkno[7], až se naplní arch, který svírá železnými lištami[8] pomocí šroubů[9], aby se nerozpadl, a dává jej do lisu[10]. Tu tiskař pomocí tampónu[11] nanáší na sazbu tiskařskou barvu, na to klade navlhčený arch papíru, pokládá příklop[12] a to vše zasunuje pod plát[13] a vřeteno[14], pákou (tiskadlem)[15] přitahuje a tak přenáší písmo na papír.

Die Buchdruckerei

Der Buchdrucker hat eine große Menge von Lettern, die aus Metall gegossen in Schriftkästen[5] aufgeteilt sind. Der Schriftsetzer[1] nimmt eine nach der anderen heraus, und setzt (nach der Handschrift, die, in einen Halter[2] gesteckt, vor ihm liegt) die Wörter in einen Winkelhaken[3], bis eine Zeile entsteht; diese hebt er in das Schiff[4], bis eine Seite[6] entsteht; die Seiten legt er auf das Formbrett[7], bis der Bogen voll ist, den er mit dem Formrahmen[8] mit Hilfe von Formschrauben[9] zusammenpresst, damit er nicht auseinanderfällt, und gibt ihn in die Presse[10]. Dann trägt der Drucker mit dem Bausch[11] die Druckfarbe auf den Satz auf, legt darauf den angefeuchteten Papierbogen, darauf den Deckel[12] und das alles schiebt er unter den Tiegel[13] und die Spindel[14], presst es mit dem Hebel (dem Bengel)[15] zusammen und so überträgt er die Buchstaben auf das Papier.

Printing

Типография

The printer has a large number of types cast of metals and sorted out in cases[5]. The compositor[1] picks them out one by one and (according to the manuscript, which he has fastened before him in a holder[2]) composes words in a composing stick[3] till a line is completed. He puts these in a make-up galley[4] till a page[6] is reached, and places the pages again in a form[7] to complete a sheet. He locks up the form with iron strips[8] and quoins[9] (within a chase) lest it should disintegrate, and puts the chase under press[10]. Here, the printer brushes the type with printer's ink by means of an inker (inkpad)[11], spreads upon it a sheet of moist paper, puts on the frisket[12], places it all under a coffin[13] and spindle[14], and presses it down with a bar[15], thus making the letters to be impressed on the paper.

Типограф имеет медные буквы, разложенные в большом количестве по ящичкам[5]. Наборщик[1] вынимает их по одиночке и складывает (по рукописи, закрепленной перед ним в держателе[2]) слова острой палочкой[3], пока не образуется строка. Строки он вставляет в гранку[4], пока не образуется страница[6], а ее снова вставляет в гранковую доску[7] и скрепляет железной рамой[8] с помощью винтов[9], чтобы гранки не распались. После этого он кладет ее под пресс[10]. Затем печатник с помощью шариков[11] намазывает ее типографской краской, кладет на нее вставленные в покрышку[12] листы бумаги, которые подкладывает под тигель[13] и блок[14] и, надавив воротом[15], достигает того, что бумага впитывает в себя начертания букв.

XCIV

Bibliopolium

Bibliopola[1] vendit libros in bibliopolio[2], quorum catalogum[3] conscribit. Libri disponuntur per repositoria[4] et ad usum super pluteum[5] exponuntur. Multitudo librorum vocatur bibliotheca[6].

Knihkupectví

Knikupec[1] prodává v knihkupectví[2] knihy, které sepisuje do katalogu[3]. Knihy se staví do přihrádek[4] a pro potřebu se vystavují na pultě[5]. Množství knih se jmenuje knihovna[6].

Die Buchhandlung

Der Buchhändler[1] verkauft in der Buchhandlung[2] die Bücher, die er in einen Katalog[3] einträgt. Die Bücher werden in die Fächer[4] gestellt und zum Gebrauch auf dem Pult[5] ausgelegt. Viele Bücher werden Bücherei[6] genannt.

A bookshop

Книжная лавка

In a bookshop[2] the bookseller[1] sells books, which he lists in a catalogue[3]. The books are placed on shelves[4] and displayed on a counter[5]. A multitude of books is called a library[6].

Книготорговец[1] продает книги в книжной лавке[2]. Он составляет их каталог[3]. Книги раскладываются по полкам[4], а для пользования выкладываются на пульт[5]. Большое число книг называется библиотекой[6].

XCV

Bibliopegus Olim agglutinabant chartam chartae convolvebantque eas in unum volumen[1]. Hodiè compingit libros compactor, dum chartas aquâ glutinosâ maceratas terget[2], deinde complicat[3] et malleat[4], tùm consuit[5], comprimit prelo[6] (quod habet duas cochleas[7]), dorso conglutinat, rotundo cultro[8] demarginat, tandem membranâ vel corio[9] vestit, efformat et illis affigit uncinulos[10].

Knihař

Dříve lidé lepili papír k papíru a stáčeli do jednoho svitku[1]. Nyní váže knihy knihař: archy namáčí do klihové vody a suší[2], potom skládá[3] a tluče kladivem[4], pak sešívá[5] a svírá v lisu[6], který má dva šrouby[7]. Na hřbetě klíží, ořezákem[8] ořezává, desky blanou nebo kůží[9] potahuje, upravuje a připevňuje k nim spony[10].

Der Buchbinder

Früher klebte man ein Papier an das andere und wickelte es zu einer Rolle[1] zusammen. Heute bindet die Bücher der Buchbinder, indem er die Bogen in Leimwasser taucht und trocknet[2], dann falzt[3] und mit dem Hammer[4] schlägt, dann heftet[5] und in der Presse[6] presst, die zwei Schrauben hat[7]. Am Rücken leimt er, beschneidet mit dem Schnitthobel[8], überzieht den Deckel mit Pergament oder Leder[9], macht sie fertig und bringt den Verschluss[10] an.

The bookbinder

Переплетчик

In times past they glued pieces of paper together and rolled them into one scroll[1]. Nowadays books are bound by the bookbinder. He steeps sheets of paper in gum water and dries them[2], then he folds them together[3], beats them with a hammer[4], stitches[5] them up and puts them in a press[6], which has two screws[7]. He glues the spines, trims the edges with a round knife[8], coats the covers with parchment or leather[9], shapes them and fixes the clasps[10].

Раньше один лист бумаги приклеивали к другому и скатывали их в один свиток[1]. Сейчас книги сшивает переплетчик. Он сушит[2] листы бумаги, смоченные в клеевой воде, затем складывает их[3] и сбивает молотком[4]. Затем он сшивает[5] их, сжимает прессом[6], имеющим два винта[7], склеивает корешок, обрезывает края ножом[8] и, наконец, переплетает их в пергамент или кожу[9], придает красивый вид и прикрепляет к ним застежки[10].

XCVII

Schola

Schola[1] est officina, in quâ novelli animi ad virtutem formantur, et distingvitur in classes. Praeceptor[2] sedet in cathedrâ[3], discipuli[4] in subselliis[5]; ille docet, hi discunt. Quaedam praescribuntur illis cretâ in tabellâ[6]. Quidam sedent ad mensam et scribunt[7]; ipse corrigit[8] mendas. Quidam stant et recitant memoriae mandata[9]. Quidam confabulantur[10] ac gerunt se petulantes et negligentes; hi castigantur ferulâ (baculo)[11] et virgâ[12].

Škola

Škola[1] je dílna, ve které se mladé duše vyučují ctnosti; dělí se na třídy. Učitel[2] sedí na učitelské stolici[3], žáci[4] v lavicích[5]. On učí, oni se učí. Něco se jim předpisuje křídou na tabuli[6]. Někteří žáci sedí u stolu a píší[7]; učitel opravuje[8] chyby.

Někteří žáci stojí a říkají, čemu se zpaměti naučili[9].

Někteří si povídají[10] a chovají se svévolně a nedbale. Ti jsou trestáni prutem[11] a metlou[12].

Die Schule

Die Schule[1] ist eine Werkstatt, in der junge Seelen zur Tugend erzogen werden; sie ist in Klassen aufgeteilt. Der Lehrer[2] sitzt auf dem Lehrstuhl[3], die Schüler[4] auf den Bänken[5]. Er lehrt, sie lernen. Etwas wird ihnen mit Kreide an der Tafel[6] vorgeschrieben. Einige Schüler sitzen am Tisch und schreiben[7]; der Lehrer korrigiert[8] die Fehler.

Einige Schüler stehen und sagen auf, was sie auswendig gelernt haben[9].

Einige schwatzen[10] und betragen sich eigenwillig und nachlässig. Diese werden mit dem Stock[11] oder mit der Rute[12] gezüchtigt.

A school

Школа

A school[1] is a shop in which young wits are fashioned in virtue; it is divided into classes. The master[2] sits in the master's chair[3], the pupils[4] in forms[5]. He teaches them, they learn. Some things are written down for them with a stick of chalk on the blackboard[6]. Some pupils sit at a table and write[7]. The master corrects[8] their errors.

Some stand and rehearse things committed to their memory[9].

Some talk with one another[10] and behave wantonly and negligently; these are chastened with a cane[11] or a birch[12].

Школа[1] есть мастерская, в которой юные души воспитываются к добродетели; она разделяется на классы. Учитель[2] сидит на кафедре[3], ученики[4] - на скамьях[5]. Учитель учит, а ученики учатся. Кое-что пишется для них мелом на доске[6]. Некоторые из учеников сидят за столом и пишут[7]. Учитель исправляет ошибки[8].

Некоторые стоят[9] и читают вслух то, что выучили на память.

Некоторые разговаривают[10] и ведут себя шаловливо и небрежно. Они наказываются лозой[11] и розгой[12].

XCVIII

Museum

Museum[1] est locus, ubi studiosus[2], secretus ab hominibus, solus sedet studiis deditus, dum lectitat libros[3], quos penes se super pluteum[4] exponit, et ex illis in manuale[5] suum optima quaeque excerpit aut in illis liturâ[6] vel ad marginem asterisco[7] notat. Lucubraturus elevat lychnum (candelam)[8] in candelabro[9], qui emungitur emunctorio[10]; ante lychnum collocat umbraculum[11]; quod viride est, ne hebetet oculorum aciem; opulentiores utuntur cereo, nam candela sebacea foetet et fumigat. Epistola[12] complicatur, inscribitur[13] et obsignatur[14]. Noctu prodiens utitur laternâ[15] vel face[16].

Studovna

Studovna[1] je místo, kde studující[2] sedí sám odloučen od lidí, oddaný studiu, když čte knihy[3], které rozkládá vedle sebe na pultě[4] a vybírá z nich do svého zápisníku[5] to nejlepší, anebo si v nich zaznamenává podtrháváním[6] či na okraji hvězdičkou[7]. Chce-li pracovat v noci, staví na svícen[9] svíci[8] a upravuje ji kratiknotem[10]. Před svícen staví zelené stínidlo[11], aby světlo nekazilo bystrost zraku. Zámožnější užívají voskovici, neboť lojová svíčka páchne a čadí.

List[12] se skládá, nadpisuje[13] a pečetí[14].

Vychází-li studující v noci, užívá lucernu[15] nebo pochodeň[16].

Das Studierzimmer

Das Studierzimmer[1] ist ein Ort, wo der Studierende[2] allein sitzt, von den Menschen abgesondert, dem Studium ergeben, indem er Bücher[3] liest, die er neben sich auf dem Pult[4] ausbreitet, und daraus in sein Handbuch[5] das Beste aufzeichnet, oder in ihnen durch Unterstreichen[6] oder am Rande mit einem Sternchen[7] anmerkt. Wenn er in der Nacht arbeiten will, steckt er eine Kerze[8] auf den Leuchter[9] und richtet sie mit der Lichtschere[10] her. Vor den Leuchter stellt er einen Schirm[11], der grün ist, damit die Schärfe seiner Augen nicht geschwächt wird. Die Reicheren benutzen eine Wachskerze, denn eine Talgkerze riecht schlecht und raucht.

Der Brief[12] wird zusammengefaltet, mit der Anschrift versehen[13] und versiegelt[14].

Wenn der Studierende in der Nacht hinausgeht, gebraucht er eine Laterne[15] oder Fackel[16].

A study

Кабинет

A study[1] is a place where a student[2] sits all by himself separated from people, addicted to his studies whilst reading books[3], which he places within his reach on a desk[4] and picks all the best things out of them to transcribe them into his own manual[5], or marks the best things using the method of underlining[6] them or making asterisks[7] in the margin. If he wants to sit up late at night, he sets a candle[8] on a candlestick[9] and trims it with snuffers[10]. Before the candle he places a green screen[11] lest it should impair the keenness of his eyesight. Richer persons use a taper, for a tallow candle smells and smokes.

A letter[12] is folded, superscribed[13] and sealed[14].

Going out by night the student makes use of a lantern[15] or a torch[16].

Кабинет[1] есть место, где человек, изучающий науки[2], сидит вдали от людей один, отдавшись занятиям. Он читает книги[3], которые кладет возле себя на пульт[4], и из них заносит в свою записную книгу[5] все лучшие места или же отмечает эти места в книгах подчеркиванием[6] или звездочкой[7] на полях книги. Если он собирается заниматься и ночью, он ставит свечу[8] в подсвечник[9] и снимает с нее нагар свечными щипцами[10]. Перед свечой он ставит ширмочку[11], обычно зеленую, чтобы не притуплять остроты зрения. Более богатые употребляют восковые свечи, ибо сальные воняют и коптят.

Письмо[12] складывается, надписывается[13] и запечатывается[14].

Выходя ночью, он пользуется фонарем[15] или факелом[16].

XCIX

Artes sermonis

Grammatica[1] versatur circa literas[2], ex quibus componit voces (verba)[3] easque docet rectè eloqui, scribere[4], construere, distingvere (interpungere). Rhetorica[5] pingit[6] quasi rudem formam[7] sermonis oratoriis pigmentis[8], ut sunt: figurae, elegantiae, adagia (proverbia), apophthegmata, sententiae (gnomae), similia, hieroglyphica etc. Poësis[9] colligit hos flores orationis[10] et colligat quasi in corollam[11], atque ita faciens è prosâ ligatam orationem, componit varia carmina et hymnos (odas) ac propterea coronatur lauru[12]. Musica[13] componit notis melodias[14], quibus verba aptat, atque ita cantat vel voce solâ, vel concentu, vel instrumentis musicis[15].

Umění projevu

Mluvnice[1] se zabývá písmeny[2], ze kterých skládá slova[3] a učí je správně vyslovovat, psát[4], spojovat a rozlišovat.

Řečnictví[5] zdobí[6] prostou podobu řeči[7] řečnickými ozdobami[8], jako jsou figury, vybrané obraty, přísloví, moudré průpovídky, sentence, přirovnání, podobenství atd.

Poezie[9] sbírá tyto řečnické květy[10] a váže z nich tak zvaný věnec[11]. A tak dělajíc z prosté mluvy řeč vázanou, skládá různé básně a hymny, a proto bývá ozdobena vavřínovým věncem[12].

Hudba[13] komponuje do not melodie[14], podkládá jim slova, a tak zpívá sólově nebo sborově nebo hudebními nástroji[15].

Die Sprech- und Redekunst

Die Sprachlehre[1] beschäftigt sich mit Buchstaben[2], aus denen sie die Wörter[3] zusammensetzt und lehrt, sie richtig auszusprechen, zu schreiben[4], zusammenzufügen und zu unterscheiden.

Die Redekunst[5] schmückt[6] die einfache Redeform[7] mit Redeschmuck[8] wie Figuren, ausgesuchten Wendungen, Sprichwörtern, klugen Sprüchen, Denksprüchen, Vergleichen, Gleichnissen usw.

Die Poesie[9] sammelt diese Redeblüten[10], bindet sie zu einem sog. Kranz[11]. Indem sie also aus der ungebundenen Rede die gebundene macht, dichtet sie verschiedene Gedichte und Hymnen, und wird deshalb mit dem Lorbeerkranz[12] geschmückt.

Die Musik[13] setzt die Melodien[14] in Noten, unterlegt ihnen die Worte und singt so solo oder im Chor oder auf Musikinstrumenten[15].

The arts of grammar and rhetoric

Искусство речи

Grammar[1] deals with letters[2] from which it makes words[3], and it teaches us how to pronounce, write[4], link and distinguish them correctly.

Rhetoric[5] adorns[6] the plain form of a language[7] with oratorical adornments[8], such as figures, elegancies, adages, wise saws, maxims, similes, parables, etc.

Poetry[9] gathers these flowers of speech[10] and ties them, as it were, into a little garland[11], and so making verse from plain language it composes various sorts of poems and odes, and is therefore invariably crowned with a laurel wreath[12].

Music[13] composes tunes[14] and records them using notes; it fits words to these tunes and so sings them as solos or in chorus, or renders them using musical instruments[15].

Грамматика[1] занимается буквами[2], из которых она составляет слова[3] и учит правильно их произносить, писать[4], сочетать и отделять друг от друга.

Риторика[5] украшает[6] как бы первую форму речи[7] ораторскими красками[8], как например: фигуры, украшения, пословицы, изречения, афоризмы, сравнения, символы и проч.

Поэзия[9] собирает эти цветы красноречия[10] и сплетает их как в венец[11]. Таким образом, создавая из прозы плавную речь, она складывает разные стихи и гимны и поэтому увенчивается лавровым венком[12].

Музыка[13] создает из нот мелодии[14], к которым прилаживает слова, и тогда исполняет их или одним голосом, или несколькими, или на музыкальных инструментах[15].

54

CI

Philosophia Physicus[1] speculatur omnia Dei opera in mundo. Metaphysicus[2] perscrutatur rerum causas et effecta. Arithmeticus computat numeros addendo, subtrahendo, multiplicando, dividendo, idque vel ciphris[3] in palimpsesto vel calculis[4] super abacum. Rustici numerant[5] decussibus (X) et quincuncibus (V), per duodenas, quindenas et sexagenas.

Filozofie

Fyzik[1] zkoumá veškeré Boží stvoření na světě. Metafyzik[2] bádá nad příčinami a účinky věcí.

Aritmetik počítá čísla: sčítá, odčítá, násobí a dělí, a to buď číslicemi[3] na pergamenech, nebo penízky[4] na početním stolku.

Venkované počítají[5] na křížky (X) a polokřížky (V), na tucty, mandele a kopy.

Fyzika a metafyzika – dvě základní složky dřívější filozofie
tucet – 12 kusů
mandel – 15 kusů
kopa – 60 kusů

Die Philosophie

Der Physiker[1] untersucht alle Geschöpfe Gottes auf der Welt. Der Metaphysiker[2] erforscht die Ursachen und Wirkungen der Dinge.

Der Arithmetiker rechnet mit den Zahlen: zählt zusammen, zieht ab, nimmt mal und teilt, und zwar mit Ziffern[3] auf den Pergamenten oder mit Münzen[4] auf dem Rechentisch.

Das Landvolk rechnet[5] mit Kreuzen (X) und halben Kreuzen (V), nach Dutzenden, Mandeln und Schock.

Physik und Metaphysik – zwei Grundbestandteile der früheren Philosophie
das Dutzend – 12 Stück
die Mandel – 15 Stück
das Schock – 60 Stück

The naturalist (physicist)[1] examines all the works of God in the world. The supernaturalist (metaphysician)[2] searches for the causes and effects of things.

The arithmetician reckons numbers by adding, subtracting, multiplying and dividing them, and that either using figures[3] on parchment or beads[4] on a counting frame (abacus).

Countrymen reckon[5] using crosses and halfcrosses, dozens, fifteens and three scores.

Естествоиспытаталь[1] наблюдает все дела божьи в мире. Философ[2] исследует причины и следствия вещей.

Математик высчитывает числа при помощи сложения, вычитания, умножения, деления. Он делает это посредством цифр[3] на счетном пергаменте, или счетными жетонами[4] на счетном столе.

Крестьяне считают[5] десятками и пятками, дюжинами, по пятнадцати и по шестидесяти.

CII

Geometria Geometra metitur altitudinem turris[1-2] aut distantiam locorum[3-4] sive quadrante[5], sive radio[6]. Figuras rerum designat lineis[7], angulis[8] et circulis[9] ad regulam[10], normam[11] et circinum[12]. Ex his oriuntur cylindrus[13], trigonus[14], tetragonus[15] et aliae figurae.

Zeměměřičství

Zeměměřič vyměřuje výšku věže[1-2] nebo vzdálenost míst[3-4] buď kvadrantem[5], nebo měřidlem[6].

Tvary věcí značí čarami[7], úhly[8] a kruhy[9] podle pravítka[10], úhelníku[11] a kružidla[12]. Z nich vznikají ovál[13], trojúhelník[14], čtyřúhelník[15] a jiné útvary.

Die Landvermessung

Der Landvermesser misst die Höhe des Turmes[1-2] oder die Entfernung der Orte[3-4] entweder mit dem Quadranten[5] oder mit dem Messgerät[6].

Die Formen der Dinge markiert er mit Linien[7], Winkeln[8] und Kreisen[9] mit dem Lineal[10], Winkelmesser[11] und Zirkel[12]. Aus ihnen entstehen das Oval[13], das Dreieck[14], das Viereck[15] und andere Figuren.

Surveying

Геометрия

A surveyor measures the height of a tower[1-2], or the distance of places[3-4], either with a quadrant[5] or a Jacob's staff[6] (measure).

He marks out the shapes of things with lines[7], angles[8] and circles[9] using a ruler[10], a square[11] and a pair of compasses[12]. They give rise to an oval[13], a triangle[14], a quadrangle[15] and other figures.

Геометр измеряет высоту башни[1-2] или расстояние между отдельными местами[3-4], или квадрантом[5], или измерительной трубой[6].

Фигуру предметов он очерчивает линиями[7], углами[8] и кругами[9] при помощи линейки[10], угломера[11] и циркуля[12]. Из них создаются: цилиндр[13], треугольник[14], четырехугольник[15] и другие фигуры.

CIX

Ethica

Vita haec est via sive bivium, simile literae Pythagoricae Y, cujus sinister trames est latus[1], dexter angustus[2]; ille vitii[3] est, hic virtutis[4]. Adverte, juvenis[5], Herculem imitare! Sinistram linque, vitium aversare: speciosus aditus[6], sed turpis et praeceps exitus[7]. Ingredere dexterâ, utut spinosâ[8]: nulla via est invia virtuti. Sequere, quò virtus ducit, per angusta ad augusta, ad arcem Honoris[9]. Medium tene et rectum tramitem: sic tutissimus ibis. Cave excedas à dextra[10]; affectûs, equum ferocem[11], compesce freno[12], ne praeceps fias. Cave deficias ad sinistram[13] asininâ segnitie[14], sed progredere constanter, pertende ad finem; sic coronaberis[15].

Etika

Tento život je cesta nebo rozcestí podobné písmenu Y, jehož levá strana je široká[1], pravá úzká[2]. Široká je cesta nepravosti[3], úzká cesta ctnosti[4]. Dávej pozor, mladý muži[5]! Následuj Herkula. Zanechej levé cesty, nepravosti se vyhni. Mívá pěkný začátek[6], ale špatný konec[7]. Kráčej pravou cestou, třebaže je trnitá[8]. Žádná cesta není nepřístupná ctnosti. Následuj ctnost, kam tě vede, skrze těžkosti k volnosti, k bráně slávy[9]. Drž se střední cesty a pravé stezky, tak půjdeš bezpečně. Hlídej se, abys nevykročil z pravé cesty[10]. Náruživosti, divokého to koně[11], měj na uzdě[12], abys nespadl. Chraň se, abys z hloupé lenosti[14] nevstoupil na levou[13] cestu, ale stále jdi kupředu k cíli. Tak dojdeš cti[15].

Ethik

Dieses Leben ist ein Weg oder dem Buchstaben Y ähnlicher Scheideweg, dessen linke Abzweigung breit[1], die rechte schmal[2] ist. Breit ist der Weg des Lasters[3], schmal der Weg der Tugend[4]. Gib Obacht, junger Mann[5]! Folge Herkules. Lass den linken Weg, meide das Laster. Es hat gewöhnlich einen schönen Anfang[6], aber ein schlimmes Ende[7]. Beschreite den rechten Weg, obwohl er dornig[8] ist. Kein Weg ist der Tugend unzugänglich. Folge der Tugend, wohin sie dich führt, durch Schwierigkeiten zur Freiheit, zum Ruhmestor[9]. Halte dich an den Mittelweg und den rechten Pfad, so wirst du sicher gehen. Sieh dich vor, damit du nicht vom rechten Weg[10] abkommst. Zügle das wilde[11] Pferd der Leidenschaft[12], damit du nicht runterfällst. Hüte dich, damit du nicht aus dummer Faulheit[14] den linken[13] Weg betrittst, sondern geh immer vorwärts dem Ziel entgegen. So kommst du zu Ehren[15].

Morals

Our life is a path or a parting in the form of letter Y, the left-hand branch[1] of which is broad, the right-hand branch narrow[2]. The broad path is the way of depravity[3] and vice, the narrow path the way of virtue[4]. Mind my words, young man[5]! Follow Hercules. Do not take the left-hand path. Avoid vice. The left-hand path invariably has a pleasant start[6] but an unhappy end[7]. Take the right path even though it may be thorny[8]. For virtue is no way inaccessible. Follow virtue wherever it may guide you, through hardships to freedom and the gate of glory[9]. Do not stray from the golden mean and the right path; this will give you safety. Put a good bridle[10] on the wild horse[11] of your passions[12] lest you should come off. Avoid treading the left-hand[13] path out of sheer laziness[14], but keep on heading for the goal. So you will find virtue[15].

Этика

Наша жизнь есть дорога или распутье, подобное букве У. Ее левая сторона широка[1], правая - узка[2]. Первая есть дорога порока[3], вторая - тропа добродетели[4]. Берегись, юноша[5]! Бери пример с Геркулеса: оставь левую тропу, отвернись от порока: красив вход[6] к нему, но конец позорен и гибелен[7]. Вступи на правую, хотя она и терниста[8]. Нет непроходимой дороги к добродетели. Следуй туда, куда ведет добродетель, через терпенье к возвышению, свободе и славе[9]. Держись среднего и правого пути, - здесь для тебя наиболее безопасная дорога. Берегись свернуть с правой тропы[10]. Страсти, этого необузданного коня[11], укрощай уздой[12]. Берегись уклониться на левую тропу[13], словно ленивый осел[14], но иди вперед твердо, прямо к цели. Твои усилия будут увенчаны успехом[15].

57

CX

Prudentia

Prudentia[1] omnia circumspectat ut serpens[2] agitque, loquitur vel cogitat nihil in cassum. Respicit[3] tanquam in speculum[4] ad praeterita et prospicit[5] tanquam telescopio[7] futura seu finem[6]: atque ita perspicit, quid egerit et quid agendum restet. Actionibus suis praefigit honestum, utilem simulque, si fieri potest, jucundum scopum (finem). Scopo (fine) prospecto dispicit media ceu viam[8], quae ducit ad scopum (finem), sed certa et facilia, potiùs pauciora quàm plura, ne quid impediat. Occasioni[9] (quae, fronte capillata[10], sed vertice calva[11], ad haec alata[12] facilè elabitur) attendit captatque eam. In viâ pergit cautè (providè), ne impingat aut aberret.

Rozvážnost (Prozíravost)

Rozvážnost[1] vše zkoumá jako had[2] a nečiní, nemluví ani nemysli nic nadarmo. Ohlíží se[3] jako do zrcadla[4] na minulé věci a dívá se[5] jako dalekohledem[7] do budoucnosti nebo na konec[6]. A tak nahlíží, co učinila a co zbývá učinit. Svým skutkům vytyčuje čestný, užitečný a zároveň, pokud je to možné, příjemný cíl. Když dohlédne cíle, rozhlíží se po prostředcích jako cestě[8], která vede k cíli. Avšak volí jisté a snadné cesty a raději jich méně než více, aby nic nepřekáželo. Na příležitost[9] (která má na čele vlasy[10], ale na temeni je lysá[11] a k tomu je okřídlená[12], snadno uniká) dává dobrý pozor a chápe se jí. Na cestě opatrně kráčí, aby se neuděřila nebo nezbloudila.

Besonnenheit

Die Besonnenheit[1] untersucht alles wie eine Schlange[2] und tut, spricht oder denkt nichts umsonst. Sie schaut zurück[3] wie in einen Spiegel[4] auf vergangene Dinge und blickt[5] wie mit einem Fernglas[7] in die Zukunft oder an das Ende[6]. Und so betrachtet sie, was sie schon getan hat und was noch zu tun ist. Ihren Taten steckt sie ein ehrenhaftes, nützliches und wenn möglich ein angenehmes Ziel. Wenn sie das Ziel erblickt, schaut sie sich nach Mitteln um, wie nach einem Weg[8], der zum Ziel führt. Aber sie wählt sichere und einfache Wege und lieber wenigere als mehrere, damit nichts im Wege steht. Auf die Gelegenheit[9] (der auf der Stirn Haare[10] wachsen, aber die am Scheitel kahl[11] und dazu noch beflügelt[12] ist, leicht entkommt), passt sie gut auf und ergreift sie. Auf dem Weg schreitet sie vorsichtig, damit sie nicht anstößt oder sich nicht verirrt.

Reflection (Prudence)

Рассудительность

Reflection[1] explores everything like a snake[2].It does nothing and does not speak about anything in vain. It looks back[3] at past things like into a mirror[4] and sees[5] the future or the end[6] like with a telescope[7]. So it considers what it has done and is still to be done. It sets its deeds an honourablc, useful and possibly even an agreeable aim. When it sees the target, it looks around to find the means as a way[8] leading to the aim. But it chooses reliable and easy ways, better fewer than a greater number of them, in order that nothing may stand in the way. The opportunity[9] (with hair[10] on its forehead, but with a bald[11] top and even winged[12], it escapes easily) is paid full attention to and seized. It walks very carefully on its way in order not to hurt itself or lose its way.

Рассудительность[1] все изучает подобно змее[2], не делает, не говорит и не думает ничего напрасно. Осматривается[3] как бы в зеркало[4] на то, что было, и смотрит[5] как бы в бинокль[7] в будущее или на конец[6]. И так рассматривает, что уже сделано, а что еще остается сделать. В своей деятельности она ставит честную, полезную и одновременно, если это возможно, то и приятную цель. А когда увидит цель, то она ищет средства, как путь[8], ведущий к цели. Однако она выбирает надежные и простые пути, а лучше меньше, чем больше, опасаясь, чтобы ничего не помешало. Случай[9] (у которого на лбу волосы[10], но темя его лысое[11], а он еще и крылатый[12], а легко может пропасть) она бережно стережет и часто им воспользуется. По пути она идет осмотрительно, чтобы не удариться или не сбиться с пути.

CXI

Sedulitas

Sedulitas[1] amat labores, fugit ignaviam, semper est in opere ut formica[2]: et comportat sibi ut illa copiam omnium rerum[3]. Non dormit semper aut ferias agit, ut ignavus[4] et cicada[5], quos tandem premit inopia[6]. Incepta alacriter urget usque ad finem; nihil procrastinat nec cantat cantilenam corvi[7], qui ingeminat cras cras. Post exantlatos labores et lassata quiescit; sed quiete recreata, ne otio adsvescat, redit ad negotia. Diligens discipulus similis est apibus[8], quae ex variis floribus[9] mel congerunt in alveare[10] suum.

Pilnost

Pilnost[1] miluje práci, vyhýbá se lenosti, v práci je vždy jako mravenec[2] a jako on si snáší zásobu veškerých věcí[3]. Stále nespí a neleноší jako lenoch[4] a cvrček[5], které potom tíží nedostatek[6]. Co začala, s chutí dělá až do konce. Nic neodkládá a nezpívá píseň krkavce[7], který opakuje cras, cras (zítra, zítra). Po skončených pracích unavena odpočívá, avšak když se odpočinkem zotaví, vrací se ke svému zaměstnání, aby nepřivykla lenosti. Pilný žák se podobá včelám[8], které z různých květů[9] snášejí med do svého úlu[10].

Fleiß

Der Fleiß[1] liebt die Arbeit, meidet die Faulheit, in der Arbeit ist er immer wie eine Ameise[2] und wie diese trägt er alle möglichen Sachen[3] zu einem Vorrat zusammmen. Weder schläft noch faulenzt er wie ein Faulenzer[4] und eine Grille[5], die dann unter Mangel leiden[6]. Was er begonnen hat, bringt er mit Lust zu Ende. Er verschiebt nichts und singt nicht das Lied des Raben[7], der kraa, kraa (morgen, morgen) wiederholt. Nach beendeter Arbeit müde, ruht er sich aus, aber nachdem er sich ausgeruht hat, kehrt er zu seiner Beschäftigung zurück, um sich die Faulheit nicht anzugewöhnen. Ein fleißiger Schüler gleicht den Bienen[8], die aus verschiedenen Blüten[9] Honig in ihrem Bienenstock[10] sammeln.

Diligence

Трудолюбие

Diligence[1] likes work and shuns laziness, always works like an ant, and like an ant[2] it stocks up with all kinds of thinks[3]. It does not sleep or laze about all the time like a loafer[4] and a cricket[5], who then suffer insufficiency[6]. What it has initiated, it is ready to continue doing until the end. It does not postpone anything and does not sing a raven's[7] song repeating craa-craa (tomorrow-tomorrow). Having concluded its work it gets tired and has a rest. But after it has recovered thanks to its rest, it will return to its engagement in order not to get used to laziness. An industrious pupil reminds us of bees[8], which bring honey from various flowers[9] to their hives[10].

Трудолюбие[1] любит работу, избегает лени, работает и трудится как муравей[2] и собирает себе, как и он, запасы разнообразных вещей[3]. Оно не спит постоянно и не празднует вечно как лентяй[4] или сверчок[5], которых в конце концов ждет бедность[6]. Начатую работу оно бодро исполняет до конца, ничего не откладывает на завтра и не распевает песенку ворона[7], все время кричащего «кра-кра» (завтра – завтра). После законченной работы, оно, утомленное, отдыхает, однако набравшись сил, оно снова возвращается к своему делу, боясь привыкнуть к покою. Прилежный ученик подобен пчелам[8], которые с разных цветов[9] собирают мед в свой улей[10].

CXII

Temperantia

Temperantia[1] praescribit modum cibo ac potui[2] et continet cupidinem ceu freno[3]: et sic moderatur omnia, ne quid nimis fiat. Heluones (ganeones) inebriantur[4], titubant[5], ructant (vomunt)[6] et rixantur[7]. E crapulâ oritur lascivia, ex hâc vita libidinosa inter fornicatores[8] et scorta[9], osculando (basiando), palpando, amplexando et tripudiando[10].

Střídmost

Střídmost[1] ukládá míru v jídle a pití[2] a drží žádost jako na uzdě[3]. A tak všechno řídí, aby ničeho nebylo příliš. Opilci se opíjejí[4], potácejí se[5], zvracejí[6] a hádají se[7]. Z opilosti pochází bujnost, z té zase nemravný život mezi nestydy[8] a prostitutkami[9] s líbáním, hlazením, objímáním a tančením[10].

Mäßigkeit

Die Mäßigkeit[1] hält Maß beim Essen und Trinken[2] und hält ihre Begierden im Zaume[3]. Und so lenkt sie alles, damit nichts zu viel wird. Die Trunkenbolde betrinken sich[4], torkeln[5], erbrechen sich[6] und streiten sich[7]. Von Trunkenheit kommt Übermut und durch ihn wieder unsittliches Leben unter Schamlosen[8] und Huren[9] mit Küssen, Streicheln, Umarmen und Tanzen[10].

Temperance

Умеренность

Temperance[1] sets a measure in food and drink[2] and it holds greed like on a bridle[3]. It reigns over everything in order that nothing may be over plentiful. Drunkards get drunk[4], stagger[5], vomit[6] and quarrel[7]. Drinking hard leads to rampancy, which again results in immoral life among impudent and shameless people[8] and prostitutes[9] including kissing, caressing, embracing and dancing[10].

Умеренность[1] предписывает соблюдать меру в пище и питье[2], сдерживать жадкость словно уздой[3]. И так она умеряет все, чтобы не было ничего чрезмерного. Пьяницы напиваются[4], шатаются[5], рыгают[6] и они дерутся[7]. От пьянства происходит безудержность, которая ведет к безнравственой жизни среди бесстыдников[8] и развратных женщин[9] в всяческих поцелуях, ласках, объятиях и плясках[10].

CXIII

Fortitudo

Fortitudo[1] est impavida in adversis ut leo[2] et confidens, at non tumida in secundis: innixa suo columini[3] constantiae et eadem in omnibus, parata ad utramque fortunam aequo animo ferendam. Clypeo[4] tolerantiae excipit ictûs infortunii et gladio[5] virtutis propellit hostes euthymiae, nempe affectûs.

Statečnost

Statečnost[1] je v protivenstvích neohrožená jako lev[2] a smělá, není však domýšlivá ve štestí. Spoléhá na svůj sloup[3], stálost, je ve všem stejná a připravená snášet s tichou myslí dobré i zlé. Štítem[4] trpělivosti zachycuje rány neštěstí a mečem[5] udatnosti zahání nepřátele spokojenosti, nálady (vášně).

Tapferkeit

Die Tapferkeit[1] ist bei allen Feindseligkeiten unerschrocken wie ein Löwe[2] und mutig, im Glück ist sie jedoch nicht eitel. Sie verlässt sich auf ihre Säule[3], die Beständigkeit, sie ist in allem gleich und bereit, mit Gelassenheit Gutes und Böses zu ertragen. Mit dem Schild[4] der Geduld fängt sie Unglücksschläge auf und mit dem Schwert[5] der Tapferkeit vertreibt sie die Feinde der Zufriedenheit, die Launen (Leidenschaften).

Bravery

Мужество

In adversities bravery[1] is dauntless like a lion[2] and audacious, it is however not conceited as far as luck is concerned. It relies on its pillar[3], constancy. It is invariable in everything and is ready to bear both the good and the evil with a silent mind. With a shield[4] of patience it parries the blows of fate and with a sword[5] of audacity it drives away the enemies of contentment, passion (emotion).

Мужество[1] бесстрашно в несчастьях как лев[2], и уверено в себе, но и незаносчиво в счастье. Оно опирается на свою опору[3] – постоянство. Оно неизменно во всех обстоятельствах и готово спокойно переносить и удачи, и неудачи. На щит[4] выдержки оно принимает удары несчастья и мечом[5] добродетели отражает врагов душевного спокойствия – страсти.

CXIV

Patientia

Patientia[1] tolerat calamitates[2] et injurias[3] humiliter ut agnus[4], tanquam paternam ferulam[5] Dei. Interim innititur spei anchorae[6] (ut navis[7] in mari fluctuans), Deo supplicat[8] illacrumando et exspectat post nubila[9] Phoebum[10], ferens mala, sperans meliora. Contrà impatiens[11] plorat, lamentatur, debacchatur in seipsum[12], obmurmurat ut canis[13], et tamen nil proficit; tandem desperat et fit autochir (propricida)[14]; injurias vindicare cupit furibundus.

Trpělivost

Trpělivost[1] snáší pohromy[2] a křivdy[3] s pokornou myslí jako beránek[4], jako otcovskou metlu[5] Boží. Při tom se opírá o kotvu[6] naděje (jako loď[7] zmítaná na moři), v slzách Boha o milost prosí[8] a očekává po dešti[9] sluníčko[10], snáší zlé a doufá v lepší věci. Naproti tomu netrpělivý člověk[11] pláče, naříká, sám nad sebou[12] zuří, vrčí jako pes[13], a přece nic nezískává. Konečně si zoufá a bývá svým vlastním vrahem[14]. Usilovně žádá pomstit křivdy.

Geduld

Die Geduld[1] erträgt Schicksalsschläge[2] und Unrecht[3] mit Demütigkeit wie ein Lamm[4], wie die väterliche Geißel[5] Gottes. Dabei stützt sie sich auf den Anker[6] der Hoffnung (wie ein hin und her geworfenes Schiff[7] auf dem Meer), unter Tränen bittet sie[8] Gott um Gnade und erwartet nach dem Regen[9] die Sonne[10], erträgt Böses und hofft auf bessere Dinge. Ein ungeduldiger Mensch[11] dagegen weint, klagt über sich selbst[12], tobt, knurrt wie ein Hund[13] und gewinnt doch nichts. Schließlich verzweifelt er und wird sein eigener Mörder[14]. Angestrengt verlangt er, das Unrecht zu rächen.

Patience

Терпение

Patience[1] bears misfortunes[2] and wrongs[3] with a meek mind like a lamb[4] as God's rod[5]. There it leans on the anchor[6] of hope (as a ship[7] tossed on a sea), in its tears it asks[8] God for mercy and expects sunshine[10] after the rain[9]. It endures the evil and hopes for matters to be better. Whereas the impatient man[11] weeps, laments and gets furious with himself[12], snarls like a dog[13], though in fact he does not win anything. Ultimately he gets desperate and very often he commits suicide, i.e. he becomes his own murder[14]. He urgently asks for the wrong to be punished.

Терпение[1] переносит бедствия[2] и обиды[3] с покорностью как ягненок[4], видя в них отцовский жезл[5], которым Бог наказывает человека. В то же время оно опирается на якорь[6] надежды (как корабль[7], борющийся с морскими волнами), оно молит Бога[8] со слезами и ожидает после туч[9] солнца[10], переносит несчастья и надеется на лучшее. Наоборот, нетерпеливый человек[11] плачет, жалуется, неистовствует против самого себя[12], ворчит как собака[13], и все-таки ничего не достигает. Наконец, он приходит в отчаяние и становится самоубийцей[14]. За обиды он жаждет отомстить.

CXV

Humanitas

Homines facti sunt ad mutua commoda: ergò sint humani. Sis svavis et amabilis vultu[1], comis et urbanus gestu ac moribus[2], affabilis et verax ore[3], candens et candidus corde[4]. Ama, et sic amaberis; et fiet mutua amicitia[5] ceu turturum[6], concors, mansveta et utrinque benevola. Morosi homines sunt odiosi, torvi, illepidi, contentiosi, iracundi[7], crudeles[8] ac implacabiles (magis lupi et leones quàm homines) et inter se discordes; hinc confligunt duello[9]. Invidia[10] aliis malè cupit et conficit seipsam.

Lidskost

Lidé jsou stvořeni ke společným výhodám; proto mají být lidští. Buď příjemný a milý ve tváři[1], vlídný a zdvořilý v chování a způsobech[2], přívětivý a pravdomluvný ústy[3], poctivý a upřímný v srdci[4]. Miluj a tak budeš milován; z toho vzejde vzájemné přátelství[5] jako u hrdliček[6] svorné, mírné a z obou stran laskavé. Nepřátelští lidé jsou nevraživí, zasmušilí, nepřizpůsobiví, hádaví, hněviví[7], suroví[8], také nesmiřitelní (více vlci a lvi než lidé) a mezi sebou nesvorní; proto spolu bojují[9]. Závist[10] jiným přeje zlo (nepřeje nic dobrého) a sama se hubí.

Menschlichkeit

Die Menschen sind zum gemeinsamen Vorteil geschaffen; deshalb sollen sie menschlich sein. Sei angenehm und lieb im Gesicht[1], freundlich und höflich im Benehmen und in Manieren[2], zuvorkommend und wahrheitsliebend mit dem Mund[3], ehrlich und aufrichtig im Herzen[4]. Liebe und so wirst du geliebt werden; daraus erwächst gegenseitige Freundschaft[5] wie bei den Turteltauben[6] einträchtig, sanft und von beiden Seiten liebenswürdig. Feindliche Menschen sind gehässig, missmutig, nicht anpassungsfähig, streitsüchtig, zornig[7], roh[8], auch unversöhnlich (mehr Wölfe und Löwen als Menschen) und untereinander uneinig, deshalb kämpfen sie miteinander[9]. Neid[10] wünscht den anderen Böses (wünscht nichts Gutes) und vernichtet sich selbst.

Humanity

Человечность

Humans have been created to enjoy common advantages, they shall therefore be humane. Your face[1] shall be nice and kind, your behavior and manners[2] affable and polite, your mouth[3] amiable and trustful, your heart[4] honest and sincere. Love and so you will be loved, which will be the origin of a mutual friendship[5] like with the turtle doves[6], harmonious, temperate and kind on both sides. Enemies are spiteful, gloomy, inadeptable, quarrelsome, angry[7], cruel[8], also implacable (more wolves and lions than humans) and discordant among them, and that is why they fight[9] with each other. Envy[10] wishes others evil (it does not wish anything good) and it destroys itself.

Люди созданы для взаимной пользы, поэтому они должны быть человечными друг к другу. Будь приятен и ласков лицом[1], радушен и вежлив в поведении и манерах[2], приветлив и правдив в своей речи[3], честен и чист сердцем[4]. Люби, тогда и тебя будут любить. Отсюда возникает взаимное дружелюбие[5] какое бывает между голубями[6], единодушное, кроткое и с обеих сторон ласковое. Угрюмые люди всем неприятны, мрачны, неприспособливы, сварливы, гневливы[7], жестоки[8], а также неукротимы (более похожи на волков и львов, чем на людей), враждебны друг другу, а поэтому вступают в поединки друг с другом[9]. Зависть[10] желает другим зла, а поэтому сама себя съедает.

63

CXVI

Justitia. Justitia[1] pingitur sedens in lapide quadrato[2]: nam debet esse immobilis; obvelatis oculis[3] ad non respiciendum personas; claudens aurem sinistram[4], reservandam alteri parti; dexterâ tenens gladium[5] et frenum[9] ad puniendum et coërcendum malos; praeterea stateram[7], cujus dextrae lanci[8] merita, sinistrae[9] praemia imposita sibi invicem exaequantur, atque ita boni ad virtutem ceu calcaribus[10] incitantur. In contractibus[11] candidè agatur, pactis et promissis stetur; depositum et mutuum reddantur; nemo expiletur[12] aut laedatur[13], suum cuique tribuatur; haec sunt praecepta justitiae. Talia prohibentur quinto et septimo praecepto Dei et meritò cruce ac rotâ[14] puniuntur.

Spravedlnost

Spravedlnost[1] se zobrazuje, jak sedí na čtyřhranném kameni (kamenném kvádru)[2], protože musí být nehybná; má zavázané oči[3], aby se neohlížela na osoby; zakrývá si levé ucho[4], aby bylo rezervováno pro druhou stranu; v pravé ruce drží meč[5] a uzdu[6] na potrestání a zkrocení viníků. Kromě toho má váhy[7], na jejich pravé straně[8] váží zásluhy a na levé straně[9] odplaty, a tak se dobří lidé ke ctnostem jako ostruhami[10] povzbuzují. Ve smlouvách[11] ať se jedná upřímně, v dohodách a slibech každý stůj; vše uschované a vypůjčené ať je vráceno; nikdo ať není oloupen[12] nebo poškozen[13]. Každému budiž dáno, co mu patří. To jsou zákony spravedlnosti. Takové věci se zakazují v pátém a sedmém Božím přikázání a po právu se mají trestat šibenicí a kolem[14].

Gerechtigkeit

Die Gerechtigkeit[1] wird dargestellt, wie sie auf einem viereckigen Stein (einem Quaderstein)[2] sitzt, weil sie unbeweglich sein muss; sie hat verbundene Augen[3], damit sie sich nicht nach Personen umschaut; sie bedeckt sich das linke Ohr[4], damit es für die andere Seite reserviert ist; in der rechten Hand hält sie ein Schwert[5] und einen Zügel[6] zur Bestrafung und Zähmung der Schuldigen. Außerdem hat sie eine Waage[7], auf ihrer rechten Seite[8] wiegt sie die Verdienste[8] und auf der linken Seite[9] die Vergeltung und so werden gute Menschen zu Tugenden wie mit Sporen[10] angeregt. In den Verträgen [11] soll man aufrichtig handeln, die Abkommen und Versprechen soll jeder einhalten; alles Aufbewahrte und Ausgeliehene soll zurückgegeben werden; niemand soll beraubt[12] oder beschädigt werden[13]. Jedem soll das gegeben werden, was ihm gehört. Das sind die Gesetze der Gerechtigkeit. Solche Dinge sind im fünften und im siebten Gebot Gottes verboten und werden mit Recht mit Galgen und Rad[14] bestraft.

Justice

Справедливость

Justice[1] is depicted sitting on a tetragonal rock (stony rectangular parallelepiped)[2], because it must be immobile. Its eyes[3] are blindfold in order not to look round to see the individual persons, it closes its left ear[4] so that it may also be reserved for the other side. In its right hand it holds a sword[5] and a bridle[6] to punish and curb the culprits. Apart from this it has a pair of scales[7], the righthand side[8] weighing the merits and the lefthand side[9] retaliation. And so good people are encouraged as with the help of spurs[10] to be virtuous. In contracts, negotiations shall be sincere, in agreements and promises everyone shall stand by his right; everything that is retained and lent shall be returned and nobody shall be robbed[12] or harmed[13]. Let everybody be given what belongs to him. These are the laws of justice. These matters are forbidden by the Fifth and Seventh Commandments and they shall by rights be punished, sent to the gallows and broken on the wheel[14].

Справедливость[1] изображают сидящей на квадратном камне[2], потому что она должна быть неподвижной, с завязанными глазами[3], чтобы не заглядываться; она закрывает левое ухо[4], чтобы сохранить его для другой стороны; в правой руке она держит меч[5] и узду[6] для наказания и обуздания виновников. Кроме того, она держит весы[7], на правую чашку[8] которых положены заслуги, а на левую[9] возмездия, уравновешивающие друг друга. Итак, хорошие люди подстрекаются к добродетели словно шпорами[10]. В принятых на себя обязательствах[11] нужно быть честным; договоры и обещания нужно выполнять; все отданное на хранение или взаймы следует возвращать; имущество нельзя ни у кого похищать[12], никому нельзя причинять обиды[13]. Каждому следует отдавать должное – таковы законы справедливости. Такие поступки запрещаются пятой и седьмой Божьей заповедью, и по заслугам наказываются виселицей и колесом[14].

64

CXVII

Liberalitas Liberalitas[1] modum servat circa divitias, quas honestè quaerit, ut habeat, quod largiatur egenis[2]. Hos vestit[3], nutrit[4] et ditat[5] hilari vultu[6] et alatâ manu[7]. Opes[8] subjicit sibi, non se illis; ut avarus[9], qui habet, ut habeat, et bonorum suorum non possessor, sed custos est, et insatiabilis, semper corradit[10] ungvibus suis. Sed parcit etiam et adservat suas res occludendo[11], ut semper habeat. At prodigus[12] malè disperdit benè parta ac tandem eget.

Štědrost

Štědrost[1] udržuje míru v bohatství, jehož počestně vyhledává, aby měla co rozdávat potřebným[2]. Ty odívá[3], živí[4] a obdarovává[5] s veselou tváří[6] a čilou rukou[7]. Bohatství[8] nabývá, ale ne jako lakomec[9], který je má, aby měl a nenasytně shrabuje[10] svými drápy. Ale štědrost šetří a schovává[11] své věci, aby je vždy měla. Hýřil[12] zbytečně utrácí dobře nabyté jmění a nakonec trpí nouzí.

Freigiebigkeit

Die Freigiebigkeit[1] hält Maß im Reichtum, den sie rechtschaffen aufsucht, um an die Bedürftigen[2] etwas verteilen zu können. Sie kleidet[3], ernährt[4] und beschenkt[5] mit fröhlichem Antlitz[6] und flinker Hand[7]. Sie gewinnt große Reichtümer[8], aber nicht wie der Geizige[9], der sie besitzt um ihretwillen und scharrt sie mit seinen Krallen zusammen[10]. Aber die Freigiebigkeit spart und bewahrt ihre Dinge auf[11], um sie immer zu haben. Der verschwenderische Mensch[12] vergeudet nutzlos sein gut erworbenes Vermögen und leidet schließlich Not.

Generosity

Щедрость

Generosity[1] maintains the degree of wealth, which it looks for honestly in order to have something to give to the needy[2]. It clothes[3] them, feeds[4] and rewards[5] them with a cheerful face[6] and an agile hand[7]. It acquires riches[8], though not like a miser[9] who owns them in order to have them, and greedily rakes[10] them in with his claws. But generosity spares and saves[11] its belongings always in order to have them. A reveller[12] spends the well-acquired wealth to no use, so he finally suffers from penury.

Щедрость[1] соблюдает меру в пользовании богатствами, которые она честно приобретает, для того, чтобы иметь, что подать бедным[2]. Она их одевает[3], кормит[4] и одаривает[5] с радостным лицом[6] и крылатой рукой[7]. Приобретая богатство[8], она господствует над ним, а не оно над нею, как в случае скупца[9], который имеет для того, чтобы иметь, и далее ненасытно грабастает[10] его своими когтями. Однако щедрость и бережет и сохраняет[11] свое добро, чтобы всегда иметь. А расточитель[12] неразумно проматывает то состояние, которое было нажито, и в конце концов впадает в бедность.

CXXVI

Mercatura

Merces aliunde allatae in domo commerciorum[1] vel commutantur, vel venum exponuntur in tabernis mercimoniorum[2] et venduntur pro pecuniâ (monetâ)[3], vel mensuratae ulnâ[4], vel ponderatae librâ[5]. Tabernarii[6], circumforanei[7] et scrutarii[8] volunt etiam dici mercatores. Venditor[9] ostentat rem promercalem et indicat pretium, quanti liceat. Emtor[10] licitatur et pretium offert. Si quis contralicetur[11], addicitur res ei, qui plurimum pollicetur.

Kupectví

Zboží odjinud přivezené se v kupeckém domě[1] směňuje nebo v krámech[2] se vykládá a za peníze prodává[3] buď odměřené na lokty[4], nebo odvážené na váze[5].

Budkaři[6], podomní obchodníci[7] a vetešníci[8] se také chtějí nazývat kupci.

Prodavač[9] ukazuje zboží a říká jeho cenu, kolik stojí. Kupující[10] smlouvá a navrhuje cenu[11]. Kdo nejvíce nabídne, tomu se věc prodá.

Der Handel

Die von woandersher eingeführten Waren werden im Haus des Kaufmanns[1] getauscht oder in den Krämerläden[2] ausgelegt und entweder mit der Elle[4] abgemessen oder auf der Waage[5] abgewogen für Geld verkauft[3].

Die Budenbesitzer[6], Hausierer[7] und Trödler[8] wollen auch Kaufleute genannt werden.

Der Verkäufer[9] bietet die Ware an und nennt ihren Preis, sagt, was sie kostet. Der Käufer[10] feilscht und schlägt den Preis[11] vor. Wer am meisten bietet, dem wird die Sache (die Ware) verkauft.

Merchandising

Торговля

The goods brought from other places are either exchanged in merchant houses[1] or displayed and sold in shops[2] for money[3], being either measured by the ell[4] or weighed on a balance[5].

Booth-keepers , peddlers[7] and old-clothes men[8] would also like to be called merchants.

The seller[9] shows the good and quotes its price, or says how much it costs. The buyer[10] bargains (cheapens) and suggests the price[11]. He whose bid is the highest gets the thing.

Товары, привезенные из других мест, обмениваются в торговых рядах[1], или выставляются на продажу в купеческих лавках[2] и продаются за деньги[3]. При этом они отмериваются локтем[4] или взвешиваются на весах[5].

Лавочники[6], разносчики[7] и старьевщики[8] также хотели бы называться купцами.

Продавец[9] показывает товар и называет цену, сколько стоит вещь. Покупатель[10] торгуется и предлагает свою цену[11]. Кто предложит больше, тому вещь и продаётся.

CXXVIII

Ars medica

Aegrotans[1] accersit medicum[2], qui tangit arteriam[3] et inspicit urinant[4]; tùm praescribit medicamentum in schedulâ[5]. Istud paratur à pharmacopoeo[6] in pharmacopolio[7], ubi pharmaca in capsulis[8], pyxidibus[9] et lagenis[10] adservantur. Estque vel potio[11], vel pulvis[12], vel pillulae[13], vel pastilli[14], vel electuarium[15]. Diaeta et oratio[16] sunt optima medicina. Chirurgus[18] curat vulnera[17] et ulcera spleniis (emplastris)[19].

Lékařství

Nemocný[1] posílá pro lékaře[2], který sahá na puls[3] a prohlíží moč[4]; pak předpisuje na lístku[5] lék.

Ten se připravuje u lékárníka[6] v lékárně[7], kde se uchovávají léky v truhličkách[8], krabicích[9] a lahvičkách[10]. Léky jsou k pití[11] nebo v prášku[12] nebo pilulky[13], tablety[14] nebo sirupy[15]. Střídmost a modlitba[16] jsou nejlepší léky.

Ranhojič[18] hojí rány[17] a vředy mastmi[19].

Die Medizin

Der Kranke[1] schickt nach dem Arzt[2], der den Puls[3] fühlt und den Urin[4] beschaut; dann verschreibt er auf einem Zettel[5] eine Arznei.

Diese wird beim Apotheker[6] in der Apotheke[7] zubereitet, wo die Arzneien in Kästchen (Fächern)[8], Schachteln[9] und Fläschchen[10] aufbewahrt werden. Die Arzneien sind zum Trinken[11] oder ein Pulver[12] oder Pillen[13], Tabletten[14] oder Sirupe[15]. Die Mäßigkeit und das Gebet[16] sind die besten Arzneien.

Der Wundarzt[18] heilt die Wunden[17] und Geschwüre mit Salben.[19]

Medicine

Медицина

The patient[1] sends for a physician[2], who feels his pulse[3] and examines his water[4], and then prescribes a medicine on a bill[5].

The medicine is made up by the apothecary[6] in a pharmacy[7], where drugs are kept in drawers[8], boxes[9] and bottles[10]. A medicine is either a potion[11], powder[12] or a pill[13], a tablet[14] or a syrup[15]. Modesty and prayer[16] are the best remedies.

The surgeon[18] cures wounds[17] and ulcers with ointments[19].

Больной[1] приглашает врача[2], который считает пульс[3] и осматривает мочу[4]; затем он прописывает на листке бумаги[5] лекарство.

Лекарство изготовляется аптекарем[6] в аптеке[7], где лекарства сохраняются в капсулях[8], коробочках[9] и бутылках[10]. Лекарство бывает в виде питья[11], или порошка[12], или пилюли[13], или облаток[14], или микстуры[15]. Умеренность в еде и молитва[16] - наилучшее лекарство.

Лекарь[18] лечит раны[17] и нарывы пластырями[19].

CXXX

Ludus scenicus

In theatro[1] (quod vestitur tapetibus[2] et sipariis[3] tegitur) aguntur comoediae vel tragoediae, quibus repraesentantur res memorabiles; ut hîc historia de filio prodigo[4] et patre[5] ipsius, à quo recipitur domum redux. Actores (histriones) agunt personati; morio[6] dat jocos. Spectatorum primarii sedent in orchestrâ[7]; plebs stat in caveâ[8] et plaudit, si quid arridet.

Divadlo

Na jevišti[1], které bývá obestřeno koberci[2] a zastřeno oponami[3], se hrají komedie a tragédie, v nichž se představují významné věci, jako zde příběh o marnotratném synu[4] a jeho otci[5]. Herci hrají v kostýmech; šašek provádí šprýmy[6].

Nejvýznamnější osoby sedí na panských sedadlech[7], lid stojí v hledišti[8] a tleská, když se mu něco líbí.

Das Theater

Auf der Bühne[1], die mit Teppichen[2] bedeckt und mit Vorhängen[3] verhängt ist, werden Komödien und Tragödien gespielt, in denen bedeutende Szenen dargestellt werden, wie hier die Geschichte vom verlorenen Sohn[4] und seinem Vater[5]. Die Schauspieler spielen in Kostümen; der Narr macht Possen[6].

Die bedeutendsten Personen sitzen auf den Herrensitzen[7], das Volk steht im Zuschauerraum[8] und klatscht, wenn ihm etwas gefällt.

The theatre

On a stage[1], which is trimmed with hangings[2] and covered with curtains[3], comedies and tragedies are acted, wherein memorable things are represented, as here the story of the prodigal son[4] and his father[5]. The actors act clad in costume; the jester performs jests[6].

The most distinguished spectators sit in the seats reserved for the nobility[7], common people stand in the pit[8] and clap their hands if something pleases them.

Театр

На сцене[1], которая увешивается коврами[2] и закрывается занавесом[3], исполняются комедии и трагедии, в которых представляются достопамятные события, как, например, здесь история о расточительном сыне[4] и его отце[5], которым он был принят по возвращении домой. Актеры играют переодетыми. Шут потешает[6].

Знатные зрители сидят у оркестра[7], а простой народ стоит в зрительном зале[8] и рукоплещет, если что-то очень понравилось.

CXXXI

Praestigiae Praestigiator[1] facit varia spectacula volubilitate corporis, deambulando manibus, aut saliendo per circulum[2] etc. Interdum etiam tripudiat[4] larvatus. Agyrta[3] praestigias facit è marsupio. Funambulus[5] graditur et saltat super funem, tenens manu halterem[6], aut suspendit se manu vel pede[7] etc.

Kejklířství

Kejklíř[1] provádí různé kousky díky ohebnosti svého těla, hned chodí po rukou, hned skáče přes obruč[2] a jiné. Někdy také tancuje[4] s maskou na tváři. Kouzelník dělá kouzla[3] z kouzelnické tašky.

Provazolezec[5] chodí a skáče po provaze drže v ruce tyč[6] nebo se zavěšuje za ruku či za nohu[7].

Die Gaukelei

Der Gaukler[1] macht allerlei Kunststücke dank der Gelenkigkeit seines Körpers; bald geht er auf den Händen, bald springt er durch den Reifen[2] u. a. Manchmal tanzt er[4] auch mit einer Maske vor dem Gesicht. Der Zauberer[3] zaubert aus der Zaubertasche.

Der Seiltänzer[5] geht und springt auf dem Seil in der Hand eine Stange[6] haltend, oder er hängt an einer Hand oder an einem Fuß[7].

Juggling

Фокусы

The juggler[1] performs various tricks thanks to the nimbleness of his body, walking on his hands, leaping through a hoop[2], etc. Sometimes he also dances[4] having on a bizarre mask. The magician[3] conjures things out of the conjurer's pouch.

The ropedancer[5] walks and dances on a rope holding a balancing pole[6] in his hand or hanging by his hand or foot[7].

Фигляр[1] показывает различные зрелища при помощи своей телесной ловкости: то он ходит на руках, то прыгает через обруч[2] и т. д. Иногда он и танцует[4], надев на себя маску. Фокусник[3] показывает фокусы при помощи своего мешка.

Канатоходец[5] ходит и пляшет на канате, держа в руке балансирный шест[6], или висит на руке или на ноге[7].

CXXXII

Palaestra

Pugiles congrediuntur duello in palaestrâ, decertantes vel gladiis[1] vel hastilibus[2] et bipennibus[3], vel semispathis[4] vel ensibus[5] mucronem obligatis, ne letaliter laedant, vel frameis et pugione[6] simul. Luctatores[7] (apud Romanos olim nudi et inuncti oleo) prehendunt se invicem et annituntur, uter alterum prosternere possit, praeprimis supplantando[8]. Andabatae[9] pugnabant pugnis ridiculo certamine, nimirum obvelatis oculis.

Zápasiště

Šermíři se utkávají v boji na zápasišti, kde se potýkají meči[1] nebo kopími[2] a halapartnami[3] nebo obousečnými meči[4] nebo kordy[5] ovázanými na konci, aby se smrtelně neranili, nebo současně rapírem a dýkou[6].

Zápasníci[7] (dříve u Římanů nazí a natření olejem) se spolu popadají a snaží se jeden druhého porazit, zvláště podrážením nohou[8].

Pěstní zápasníci[9] se potýkají pěstmi ve směšném zápasu, a to se zavázanýma očima.

Der Fechtsaal

Die Fechter kämpfen gegeneinander im Fechtsaal, wo sie sich schlagen mit Schwertern[1] oder Speeren[2] und Hellebarden[3] oder mit zweischneidigen Schwertern[4] oder Degen[5], die an der Spitze umwickelt sind, damit sie sich nicht tödlich verletzen, oder mit Rapier und Dolch[6] zugleich.

Die Ringer[7] (früher bei den Römern nackt und mit Öl eingerieben) packen einander und versuchen, einer den anderen zu Fall zu bringen, besonders durch Beinstellen[8].

Die Faustkämpfer[9] schlagen sich mit den Fäusten in einem lächerlichen Kampf und zwar mit verbundenen Augen.

The arena

Fencers meet in duels in a fencing hall fighting with swords[1] or pikes[2] and halberds[3] or double-edged swords[4] or rapiers[5] with their points swathed, lest they should wound one another mortally, or with both a rapier and a dagger[6] at the same time.

Wrestlers[7] (in the time of the Roman Empire naked and anointed with oil) strive to knock each other down especially by tripping the rival's feet[8].

Hood-winked boxers[9] fight with their fists in a droll match with their eyes blindfolded.

Фехтовальный зал

Бойцы сходятся для борьбы на площадке для гимнастики, сражаясь или мечами[1], или шестами[2], или бердышами[3], или небольшими шпагами[4], или длинными шпагами[5] с обвязанным острием, чтобы не ранить смертельно противника, или рапирами и кинжалом[6] одновременно.

Борцы[7] (у римлян когда-то обнаженные и намазанные маслом) схватываются друг с другом и употребляют все силы, чтобы повалить друг друга, в особенности подставив один другому ногу[8].

Андабаты[9] бились кулаками в потешном бою - с завязанными глазами.

CXXXIII

Ludus pilae

In sphaeristerio[1] luditur pilâ[2]: quam alter mittit, alter excipit et remittit reticulo[3]; idque est nobilium lusus ad commotionem corporis. Follis (pila magna)[4] aëre distentus ope epistomii sub dio pugno[5] reverberatur.

Míčová hra

V míčovně[1] se hraje s míčem[2], který jeden hází, druhy chytá a hází zpět nebo odráží raketou[3]. Je to šlechtická zábava ke cvičení těla.

Míč[4] naplněný vzduchem přes ventil se venku na volném prostranství pěstí odráží[5].

Das Ballspiel

Im Ballhaus[1] spielt man mit dem Ball[2], den der eine wirft, der andere fängt und zurückwirft oder mit dem Schläger[3] zurückschlägt. Es ist ein adliges Vergnügen zur körperlichen Übung.

Der über ein Ventil mit Luft gefüllte Ball[4] wird unter freiem Himmel mit der Faust geschlagen[5].

A ball game

Игра в мяч

In a tennis hall[1] they play with a ball[2], which one player throws, the other catches and throws back, or returns with a racket[3]. And that is a sport that noblemen play to exercise their bodies.

A ball[4] filled with air via a valve is tossed to and fro in an open space with a fist[5].

На площадке[1] играют в мяч[2]. Один бросает мяч, другой подхватывает его и отбрасывает назад ракеткой[3]. Это игра знатных людей для телесных движений.

Наполненный воздухом мяч[4] отбивают назад кулаком[5], играя под открытым небом.

CXXXV

Cursûs certamina

Pueri exercent se cursu sive super glaciem[1] diabatris[2], ubi etiam vehuntur trahis[3], sive in campo, designantes lineam[4], quam, qui vincere cupit, adtingere, at non ultrà procurrere debet. Olim decurrebant cursores[5] inter cancellos[6] ad metam[7]; et qui primùm contingebat eam, accipiebat brabeum (praemium)[8] á brabeutâ[9]. Hodie habentur hastiludia (ubi lanceâ[10] petitur circulus[11]) loco equiriorum, quae in desvetudinem abierunt.

Běh o závod

Chlapci se cvičí v běhu buď na bruslích[2] na ledu[1], kde se také vozí na sáňkách[3], nebo na rovině tak, že si dělají znamení nebo čáru[4], ke které, kdo chce vyhrát, musí doběhnout, ale nesmí přeběhnout.

Dříve běhávali závodníci[5] k cíli[7] v ohradě[6], a který první doběhl, dostal od rozhodčího[9] odměnu[8].

Místo turnajů, které se již nekonají, se dnes pěstuje kolba, při níž se kopím[10] zasahuje do kroužku[11].

Der Wettlauf

Die Knaben üben sich im Laufen entweder auf dem Eis[1] mit Schlittschuhen[2], wo sie auch Schlitten[3] fahren, oder in der Ebene, indem sie ein Mal aufstellen oder einen Strich[4] ziehen, die derjenige, der gewinnen will, erreichen muss, aber nicht drüber hinauslaufen darf.

Früher liefen die Wettläufer[5] in einer Umzäumung[6] zum Ziel[7] und wer es zuerst erreicht hatte, der bekam vom Kampfrichter[9] einen Preis[8].

Statt der Turniere, die nicht mehr stattfinden, wird heute das Ringstechen gepflegt, bei dem man mit einer Lanze[10] durch einen Ring[11] sticht.

Boys exercise themselves in running either on the ice[1] on skates[2], where they also sledge[3] on a flat course making a mark or a line[4] that he that desires to win must reach, not overrun.

In the times past, contestants[5] ran between rails[6] towards the goal[7], and he that touched it first received a prize[8] from the referee[9].

Nowadays, tilting (or quintain) is practiced instead of tournaments, where a hoop[11] is struck at with a lance[10].

Мальчики упражняются в беге или на льду[1] на коньках[2], где катаются и на санках[3]; или на поле, обозначая линию[4], которой тот, кто желает победить, должен достигнуть, но не перебежать за нее.

Когда-то бегуны[5] бегали между перилами[6] до цели[7], и кто первым достигал ее, тот получал награду[8] от распорядителя игр[9].

Вместо турниров, которые вышли из обычая, теперь устраиваются игры с копьем[10] на коне, причем стараются копьем попасть в кольцо[11].

CXXXVI

Ludi pueriles

Pueri ludere solent vel globis fictilibus[1], vel jactantes globum[2] ad conos[3], vel sphaerulam clavâ[4] mittentes per annulum[5], vel turbinem[6] flagello[7] versantes, vel sclopo[8] et arcu[9] jaculantes, vel grallis[10] incedentes, vel super petaurum[11] se agitantes et oscillantes.

Dětské hry

Chlapci hrávají v kuličky[1] nebo házejí kouli[2] do kuželek[3] nebo holí[4] usměrňují kuličku skrz kroužek[5] nebo bičem[7] pohánějí vlka (káču)[6] nebo střílejí z foukací trubice[8] a kuše[9] nebo chodí na chůdách[10] nebo se houpají a odrážejí na houpačce[11].

Kinderspiele

Die Knaben (Kinder) spielen Murmeln[1] oder schieben die Kugel[2] in die Kegel[3] oder schlagen mit dem Stock[4] die Kugel durch einen Ring[5] oder treiben den Kreisel[6] mit der Peitsche[7] oder schießen mit dem Blasrohr[8] und der Armbrust[9] oder gehen auf Stelzen[10] oder schaukeln und stoßen sich auf der Schaukel[11] ab.

Children's games

Детские игры

Boys play either a game of marbles[1] or they play bowls trying to throw the bowl[2] so as to hit the ninepins[3], or they guide a little ball through a ring[5] with a stick[4], or spin a top (cone)[6] with a whip[7], or shoot with a blow-tube[8] or a crossbow[9], or walk upon stilts[10], or stamp their feet swinging on a swing[11].

Мальчики обычно играют или глиняными шарами[1], или катая шар[2] на кегли[3], или же с помощью дубинки[4] они мечут через кольцо[5], приводят во вращение кубарь[6] посредством бича[7], стреляют из полой тростинки[8] или из лука[9], ходят на ходулях[10] или качаются на качелях[11].

73

CXLV

Religio Pietas[1], regina virtutum, haustâ notitiâ Dei vel ex libro Naturae[2] (nam opus commendat artificem), vel ex libro Scripturae[3], colit Deum[4] humiliter, recolit mandata ejus comprehensa Decalogo[5] et oblatrantem rationem[6] conculcans, praebet fidem[7] et adsensum verbo Dei eumque invocat[8] ut opitulatorem in adversis. Divina officia fiunt in templo[9], in quo est penetrale (adytum[10]) cum altari[11], sacrarium[12], suggestus[13], subsellia[14], ambones[15] et baptisterium[16]. Deum esse sentiunt omnes homines, sed non omnes nôrunt Deum rectè. Hinc oriuntur diversae religiones, quarum primariae 4 adhuc numerantur.

Náboženství

Zbožnost[1], královna ctností, když poznala Boha buď z knihy přírody[2] (neboť chválí dílo svého tvůrce), nebo z knihy Písma svatého[3], ctí pokorně Boha[4], zachovává jeho přikázání obsažena v desateru[5] a potlačuje odmlouvající rozum[6], věří[7] slovu Božímu a Boha vzývá[8] jako pomocníka v nesnázích. Bohoslužby se konají v chrámě[9], kde bývá svatyně[10] s oltářem[11], sakristie[12], kazatelna[13], lavice[14], chóry[15] a křtitelnice[16]. Existenci Boha cítí všichni lidé, ale ne všichni znají Boha správně. Tak vznikají různá náboženství, z nichž ještě uvedeme čtyři nejhlavnější.

Religion

Nachdem die Frömmigkeit[1], die Königin der Tugenden, Gott entweder aus dem Buch der Natur[2] (denn sie lobt das Werk ihres Schöpfers) oder aus dem Buch der Heiligen Schrift[3] erkannt hat, ehrt sie Gott[4] demütig, hält seine Zehn Gebote[5] ein und unterdrückt die widersprechende Vernunft[6], glaubt[7] das Wort Gottes und fleht Gott an[8] als Helfer in der Not. Gottesdienste finden in der Kirche statt, wo das Heiligtum[10] mit dem Altar[11], die Sakristei[12], die Kanzel[13], die Bänke[14], die Chöre[15] und das Taufbecken[16] sind. Die Existenz Gottes fühlen alle Menschen, aber nicht alle kennen Gott richtig. So entstehen verschiedene Religionen, von denen wir noch die vier wichtigsten anführen.

Religion

Религия

Piety[1], the queen of virtues, when she got to know God, either from the book of nature[2] (for she praises the work of its creator), or from the Holy Writ[3], reveres God humbly, abides by His Commandments contained in the Decalogue, and quells the contradicting reason[6], believes[7] God's words and worships[8] God as a helper in troubles. Divine services take place in a cathedral, where there usually is a sanctuary[10] with an altar[11], sacristy[12], pulpit[13], pews[14], choirs[15] and fonts[16]. God's existence is felt by everyone, although not everyone knows God rightly. So various religions originate, four most important of them will still be dealt with below.

Благочестие[1], царица добродетелей, когда познало Бога либо из книги природы[2] (ибо воздает хвалу творению своего создателя), или из книги Священного Писания[3], смиренно чтит Бога[4], исполняет Его веления, заключающиеся в Десяти заповедях[5], и подавляет возражения разума[6], верит[7] слову Божьему и взывает к Богу[8] как к помощнику в несчастье. Богослужения совершаются в храме[9], в котором находятся святыня[10] с алтарем[11], ризница[12], кафедра проповедника[13], скамьи[14], клирос[15] и купель для крещения[16]. Все люди чувствуют, что Бог существует, но не все правильно Его познают. Отсюда возникают различные религии, из которых четыре главнейшие ниже перечисляются.

74

CXLV

Gentilismus Gentiles finxerunt sibi prope 12.000 numina. Eorum praecipua erant: Jupiter[1], coeli, Neptunus[2], maris, Pluto[3], inferni, Mars[4], belli, Apollo,[5] artium, Mercurius[6], furum, mercatorum et eloquentiae, Vulcanus (Mulciber), ignis et fabrorum, Aeolus, ventorum praesides et deastri, et obscoenissimus Priapus. Habuerunt etiam muliebria numina, qualia fuerunt: Venus[7], dea amorum et voluptatum, cum filiolo Cupidine[8], Minerva (Pallas) cum novem Musis artium, Juno divitiarum et nuptiarum, Vesta castitatis, Ceres frumentorum, Diana venationum, et Fortuna. Quin et Morbona ac Febris ipsa erant deae. Aegyptii colebant pro deo omne genus animalium et plantarum, et quicquid manè primùm conspicabantur. Philistaei offerebant Molocho (Saturno)[9] suos infantes vivos cremandos. Indi[10] etiamnum venerantur Cacodaemona[11].

Pohanství

Pohané si vymysleli téměř dvanáct tisíc božstev. Hlavními z nich byli: Jupiter[1], bůh nebe; Neptun[2], bůh moře; Pluto[3], bůh pekla; Mars[4], bůh války; Apollo[5], bůh umění; Merkur[6], bůh výmluvnosti, zlodějů a kupců; Vulkán, bůh ohně a kovářů; Aeolus, bůh větrů. Měli také ženská božstva, jako byly: Venuše[7],bohyně lásky a rozkoše se synáčkem Kupidem[8]; Minerva (Pallas) s devíti Múzami, bohyně umění; Juno, bohyně bohatství a statků; Vesta, bohyně čistoty; Ceres, bohyně obilí; Diana, bohyně lovu a Fortuna, bohyně štestí. Ba dokonce Morbona (Choroba) i Febris (Horečka, Zimnice) byly samy bohyně. Egypťané uctívali jako boha různé druhy zvířat a rostlin i cokoli ráno nejdříve spatřili. Filištini obětovali Molochovi (Saturnu)[9] své děti k upálení za živa. Indiáni[10] se dosud klanějí zlému duchu[11].

Heidentum

Die Heiden dachten sich fast zwölftausend Götter aus. Wichtig von ihnen waren: Jupiter[1], Gott des Himmels; Neptun[2], Gott des Meeres; Pluto[3], Gott der Hölle; Mars[4], Gott des Krieges; Apollo[5], Gott der Künste; Merkur[6], Gott der Sprachgewandtheit, der Diebe und Kaufleute; Vulkan, Gott des Feuers und der Schmiede; Aeolus, Gott der Winde. Sie hatten auch weibliche Göttinnen wie: Venus[7], Göttin der Liebe und Wonne mit Söhnchen Kupidus[8]; Minerva (Pallas) mit neun Musen, Göttin der Reinheit; Ceres, Göttin des Getreides; Diana, Göttin der Jagd und Fortuna, Göttin des Glücks. Ja sogar Morbona (Krankheit) und Febris (Fieber, Schüttelfrost) waren selbst Göttinnen. Die Ägypter verehrten als Götter verschiedene Arten von Tieren und Pflanzen und was auch immer sie morgens zuerst erblickten. Die Philister opferten Moloch (Saturn)[9] ihre Kinder, indem sie sie lebendig verbrannten. Indianer[10] verneigen sich noch heute vor dem bösen Geist[11].

Paganism

Язычество (Поганство)

The Pagans have thought out nearly twelve thousand Deities. The most important of them are: Jupiter[1], God of the skies; Neptune[2], God of the seas; Pluto[3], God of the hell; Mars[4], God of the war; Appolo[5], God of the arts; Mercurius[6], God of the eloquence, thieves and merchants; Volcano, God of the fire and the smiths; Aeolus, God of the winds; Venus[7], Goddess of love and hedonism, with her son Cupidus[8]; Minerva (Pallas), with nine muses, Goddess of the arts; Ceres, Goddess of grain; Diana, Goddess of hunting; Fortuna, Goddess of luck. Even Morbone (Illness) and Febris (Fever, Ague) were Goddesses. The Egyptians worshipped various species of animals and plants, and even anything they caught sight of first in the morning. The Philistines sacrificed their children to Moloch (Saturn)[9] to be burnt alive. The Indians[10] still idolize the evil spirit[11].

Язычники выдумали себе около двенадцати тысяч разных божеств. Главными из них были следующие: Юпитер[1] – бог неба; Нептун[2], бог моря; Плутон[3], бог подземного царства; Марс[4], бог войны; Аполлон[5], бог искусств; Меркурий[6], бог воров, торговцев и красноречия; Вулкан, бог огня и кузнецов; Эолис, бог ветров. У них были также женские божества, каковыми были, например,: Венера[7], богиня любви и наслаждений с сыном Купидоном[8]; Минерва (Паллада) с девятью Музами, богиня искусств; Юнона, богиня богатства и брака; Веста, богиня целомудрия; Церера, богиня зерна; Диана, богиня природы и охоты, и Фортуна, богиня счастья и удачи. Даже Морбона (Болезнь) и Фебрис (Лихорадка) встречались среди богинь. Египтяне почитали богом всякие виды животных и растений и все то, что утром они прежде всего увидели. Филистимляне приносили в жертву Молоху (Сатурну)[9] своих младенцев для сожжения их живьем. А индейцы[10] до сих пор почитают злых духов[11].

75

CXLVI

Judaismus Rectus tamen cultus veri Dei remansit apud patriarchas, qui vixerunt ante et post diluvium. Inter hos est Abrahamo[1], conditori Judaeorum et patri credentium, promissum semen illud mulieris, mundi Messias, et ipse, avocatus à gentilibus, cum posteris sacramento circumcisionis[2] notatus, singularem populum et ecclesiam Dei constituit. Huic populo postea Deus per Mosen[3] in monte Sinai[4] suam legem, scriptam digito suo in tabulis lapideis[5], exhibuit. Porrò ordinavit manducationem agni paschalis[6] et sacrificia in altari[7] offerenda per sacerdotes[8] et suffitûs[9]; et jussit fieri tabernaculum[10] cum arcâ foederis[11], praetereà erigi aeneum serpentem[12] contra morsum serpentum in deserto. Quae omnia typi erant venturi Messiae, quem Judaei adhuc exspectant.

Judaismus

Uctívání pravého Boha zůstalo u praotců, kteří žili před potopou i po potopě. Mezi nimi byl Abrahamovi[1], zakladateli Židů, otci věřících, zaslíben Spasitel světa, narozený z ženy. Abraham sám se svými potomky odešel od pohanů, přijal obřízku[2], založil vlastní národ a Boží církev. Tomuto lidu dal potom Bůh prostřednictvím Mojžíše[3] na hoře Sínai[4] svá přikázání napsaná vlastní prstem na kamenných deskách[5]. Pak ustanovil jako jídlo velikonočního beránka[6] a oběti vykonávané kněžími[8] na oltáři[7] za vykuřování kadidla[9]; a přikázal zhotovit archu úmluvy[10] s truhlou svědectví[11]. Kromě toho přikázal vystavit na poušti proti hadímu uštknutí měděného hada[12]. To všechno bylo znamením příchodu Mesiáše, jehož Židé dosud očekávají.

Judaismus (Judentum)

Die Verehrung des wahren Gottes blieb bei den Stammvätern erhalten, die vor und nach der Sintflut gelebt haben. Unter ihnen wurde Abraham[1], dem Gründer der Juden, dem Vater der Gläubigen, der Welterlöser, geboren aus einer Frau, versprochen. Abraham allein trennte sich mit seinen Nachkommen von den Heiden, empfing die Beschneidung[2], gründete sein eigenes Volk und die Kirche Gottes. Diesem Volk gab dann Gott durch Moses[3] auf dem Berg Sinai[4] seine Gebote, geschrieben mit seinem eigenen Finger auf Steintafeln[5]. Ferner verordnete er das Essen des Osterlamms[6] und durch die Priester[8] die Opfer auf dem Altar bei Weihrauch zu opfern und befahl die Stiftshütte[10] mit der Bundeslade[11] anzufertigen. Außerdem befahl er, in der Wüste eine eherne Schlange[12] gegen Schlangenbiss aufzustellen. Das alles war ein Zeichen der Ankunft des Messias, auf den die Juden bis heute warten.

Judaism

Yet the adoration of the true God remained with the forefathers, who lived before and also after the Flood. Among them Abraham[1], the founder of Judaism, father of the believers, was promised the Savior of the world born of a woman. Abraham himself, with his offspring, left the pagans, accepted circumcision[2], founded his own nation and the Church of God. To these people God gave through Moses[3] His commandments written with His own finger on stony slabs[5] on the Mount of Sinai[4]. Then He ordered the Paschal Lamb[5] to be the Easter dish, and sacrifices to be made by clerics[8] on an altar[7] with incense[9] burning; and He ordered that the Arc of Covenant[10] be built with a chest of testimony[11]. Apart from this He ordered a copper snake[12] to be exposed against snakebite in the desert. All that was a sign of the arrival of Messiah, who is still being expected by the Jews.

Иудаизм (Иудейство)

Поклонение истинному Богу сохранилось у предков, которые жили до и после потопа. Среди них был Авраам[1], родоначальник еврейского народа и отец верующих, преданный Спасителю мира, рожденный женщиной. Авраам сам со своими потомками покинул язычников, совершил обрезание[2], положил начало отдельному народу и Церкви истинного Бога. Этому народу Бог впоследствии через Моисея[3] на горе Синае[4] дал свой закон, написанный им пальцем на каменных скрижалях[5]. Далее Он установил в качестве пищи пасхального агнеца[6] и жертвоприношения, совершаемые на алтаре[7] священниками[8] при благовонии ладана[9], а также приказал построить скинию[10] с Ковчегом Завета[11]. Кроме того, Он повелел воздвигнуть в пустыне медную змею[12] против змеиных укусов. Все это были прообразы грядущего прихода Мессия, которого евреи ждут и до сих пор.

76

CXLVII

Christianismus

Unigenitus aeternus Dei filius[3], promissus protoplastis in paradiso, tandem impleto tempore conceptus per sanctum Spiritum in sanctissimo utero Mariae[1] Virginis de domo regiâ Davidis et indutus humanâ carne, Bethlehemi Judaeae in summa paupertate stabuli[2] anno mundi ter millesimo nongentesimo septuagesimo in mundum prodiit, sed mundus ab omni peccato, eique impositum fuit nomen Jesus, quod significat salvatorem. Hic cùm imbueretur sacro baptismo[4] (sacramento Novi Foederis) à Johanne, praecursore suo[5], in Jordane, apparuit sacratissimum mysterium divinae Trinitatis, Patris voce[6] (quâ testabatur hunc esse Filium suum) et Spiritu sancto in specie columbae[7] coelitus delabente. Ab eo tempore, trigesimo aetatis suae anno, verbis et operibus prae se ferentibus divinitatem declaravit, quis esset, in annum usque quartum, à Judaeis nec agnitus nec exceptus ob voluntariam paupertatem. Ab his (quùm priùs instituisset coenam mysticam[8] corporis et sangvinis sui in sigillum Novi Foederis et sui recordationem) captus tandem, ad tribunal Pilati, praefecti Caesarei, raptus, accusatus et damnatus est, agnus innocentissimus, actusque in crucem[9], in arâ istâ pro peccatis mundi immolatus, mortem subiit. Sed tertiâ die, quum revixisset divinâ suâ virtute, resurrexit è sepulcro[10] et post dies quadraginta de Monte Oliveti[11] sublatus in coelum[12] et eò rediens, unde venerat, quasi disparuit in conspectu apostolorum[13], quibus decimâ die post suum adscensum Spiritum sanctum[14] de coelo, ipsos verò, hâc virtute impletos, de se praedicaturos in mundum misit: olim rediturus ad extremum judicium, interea sedens ad dextram Patris et pro nobis intercedens. Ab hoc Christo dicimur Christiani inque eo solo salvamur.

Křesťanství

Když se naplnil čas, jednorozený Boží Syn[3], který byl v ráji zaslíbený prvním lidem, počal se z Ducha svatého v nejčistším lůně Panny Marie[1]. Ta pocházela z královského Davidova rodu. Věčný Boží Syn vzal na sebe lidské tělo a v roce 3970 od stvoření světa se narodil v judském Betlémě ve chlévě[2] v úplné chudobě, čistý od všeho hříchu. A bylo mu dáno jméno Ježíš, což znamená Spasitel. Když přijal v Jordánu křest[4] (svátost Nového zákona) od svého předchůdce Jana[5], sestoupil na něj z nebe Duch svatý v podobě holubice[7] a zazněl Boží hlas[6], který dosvědčil, že on je jeho Syn, čímž bylo zjeveno tajemství Nejsvětější Boží Trojice. Od té doby, když mu bylo třicet let, projevoval své božství slovy i skutky. Pro svou dobrovolnou chudobu nebyl od židů ani přijat, ani poznán.

Od těchto nepřátel byl po tom, co ustanovil památku eucharistie[8] s tajemstvím svého těla a své krve na potvrzení Nového zákona, konečně chycen a odvlečen před Pilátův soudní tribunál, byl obžalován a na smrt odsouzen. Nevinný beránek byl na kříži[9], na tomto oltáři, obětován za hříchy světa a podstoupil smrt. Když třetího dne ožil, vstal svou božskou mocí z hrobu[10] a po čtyřiceti dnech byl z hory Olivové[11] vzat do nebe[12]. Jakoby zmizel před očima svých apoštolů[13], vrátil se tam, odkud přišel. Těm desátého dne po svém nanebevstoupení seslal z nebe Ducha svatého[14], a když je touto mocí naplnil, povolal je k tomu, aby o Něm po světě kázali. Sám se vrátí při posledním soudu. Zatím sedí po pravici svého Otce a oroduje za nás. Od tohoto Krista se nazýváme křesťany a v Něm samém býváme spaseni.

Christianity

When time had been filled, the single-born God's Son[3], who had been promised to the first humans in Paradise, was conceived by The Holy Ghost in the chastest womb of Virgin Mary[1] who was a descendant of the king David's family. The sempiternal God's Son took on the human body and in the year 3970 after the creation of the world He was born in Judaic Bethlehem in a cowshed[2] in complete poverty, free from any sin. He was given the name Jesus, which means the Savior. When He was baptized[4] (accepted the sacrament of The New Testament) in the river Jordan by John[5], His predecessor, the Holy Spirit came down upon Him from the sky in the shape of a dove[7] and God's voice[6] was heard that testified to the fact that He was His Son, which revealed the secret of the Holy Divine Trinity. From the time He was thirty He manifested His Divinity in His words as well as in His deeds. Due to His voluntary poverty He was neither accepted by the Jews nor recognized.

After instituting the memory of the Eucharist[8] with the mystery of His body and His blood in order to testify to the confirmation of the New Testament, He was finally caught and brought before Pilatus' tribunal. He was accused and sentenced to death. The innocent young ram was crucified[9], sacrificed on the altar for the sins of the world, and put to death. He came to life on the third day and was raised from the dead thanks to His divine might[10]. He was taken to Heaven[12] from the Olive Mountain[11]. As if He disappeared before the eyes of His apostles, He returned to where He came from. Ten days after His Ascension He sent them The Holy Spirit[14] from Heaven, and after He had filled them with that might, He called on them to ask them to preach about Him all over the world. He Himself will return on the day of the Last Judgement. Meanwhile He sits on His Father's right and pleads for us. We are called Christians after this Christ and in Him himself we find our salvation.

Christentum

Als die Zeit kam, wurde der eingeborene Sohn[3] Gottes, der im Paradies den ersten Menschen versprochen wurde, durch den Heiligen Geist im reinsten Schoß der Jungfrau Maria[1] empfangen. Sie entstammte dem königlichen Geschlecht Davids. Der ewige Sohn Gottes nahm den menschlichen Körper an und wurde im Jahre 3970 nach der Welterschaffung im judäischen Bethlehem geboren, im Stall[2] in höchster Armut, rein von jeder Sünde. Und es wurde ihm der Name Jesus gegeben, was Erlöser bedeutet. Als er im Jordan von seinem Vorläufer Johannes[5] die Taufe[4] (das Sakrament des Neuen Testaments) empfing, stieg vom Himmel der Heilige Geist in Gestalt einer Taube[7] zu ihm herab und Gottes Stimme[6] ertönte, die bezeugte, dass er sein Sohn ist, wodurch das Geheimnis der allerheiligsten Dreieinigkeit Gottes offenbart wurde. Von dieser Zeit an, als er dreißig wurde, zeigte er seine Gottheit mit Wort und Tat. Wegen seiner freiwilligen Armut wurde er von den Juden weder angenommen noch erkannt.

Von seinen Feinden wurde er, nachdem er das Andenken der Eucharistie[8], mit dem Geheimnis seines Körpers und seines Blutes zur Bestätigung des Neuen Testaments festgelegt hatte, schließlich gefangen genommen und vor Pilatus' Gerichtstribunal gezerrt, angeklagt und zum Tode verurteilt. Das unschuldige Lamm wurde am Kreuze[9], auf diesem Altar, für die Sünden der Welt geopfert und hat den Tod erlitten. Als er am dritten Tage lebendig wurde, ist er durch seine göttliche Kraft aus dem Grabe auferstanden und nach vierzig Tagen vom Ölberg[11] in den Himmel[12] aufgenommen worden. Als ob er vor den Augen seiner Jünger[13] verschwunden wäre, kehrte er dorthin zurück, woher er gekommen war. Ihnen sandte er am zehnten Tag nach seiner Himmelfahrt vom Himmel den Heiligen Geist[14] und nachdem er sie mit seiner Macht erfüllt hatte, beauftragte er sie dazu, ihn in der Welt zu predigen. Er selbst kehrt beim Jüngsten Gericht zurück. Indessen sitzt er zur Rechten seines Vater und bittet für uns. Nach diesem Christus nennen wir uns Christen und in ihm allein werden wir selig.

Христианство

Наконец, когда пришло время, Единородный Сын Божий[3], обещанный первым людям в раю, был зачат от Святого Духа в чистейшем чреве Девы Марии[1]. Она происходила из рода царя Давида. Вечный Сын Божий принял на себя человеческую плоть и в 3970-м году от сотворения мира он родился в иудейском Вифлееме, в хлеву[2] в полной нищете, чистый, свободный от всякого греха. И дано было Ему имя Иисус, что означает Спаситель. Когда Он принимал в Иордане святое крещение[4] (таинство Нового Завета) от своего предшественника Иоанна[5], сошел на него с небес Дух Святой в виде голубя[7] и прозвучал Голос Божий[6], свидетельствующий, что это его Сын, тем самим проявилась святейшая тайна божественной Троицы. С этого времени, когда ему было тридцать лет, Он проявлял свою божественность словами и деяниями. Но вследствие своей добровольной бедности Он никогда не был принят или признан евреями.

После того, как Иисус установил обряд Евхаристии[8] (Таинство Святого Причастия) посредством причащения своего тела и крови, чтобы подтвердить Новый Завет, его враги, наконец, поймали его и привели к судебному трибуналу Пилата, где Он был осужден и приговорен к смертной казни. Невинный агнец был распят на кресте[9], принесен в жертву на этом алтаре за грехи мира, он принял смерть. Но на третий день Он своей божественной силой воскрес, восстал из могилы[10] и через сорок дней после этого вознесся с Масличной горы[11] на небо[12]. Он как будто исчез из глаз своих апостолов[13], возвратившись туда, откуда пришел. На десятый день после своего вознесения Он послал им с небес Святого Духа[14]. Их же самих, исполненных этой силы, Он послал в мир проповедовать о Нем миру. Он сам снова придет, когда наступит последний суд. А теперь Он сидит с правой стороны своего Отца и ходатайствует за нас. По имени этого Иисуса Христа мы и называемся христианами, и только в Нем одном мы находим спасение.

77

CXLVIII

Mahometismus

Mahomed[1], homo bellator, excogitabat sibi novam religionem, mixtam ex judaismo, christianismo et gentilismo, consilio Judaei[2] et monachi Ariani[3] nomine Sergii, fingens, dum laboraret epilepsiâ, secum colloqui archangelum Gabrielem et Spiritum sanctum, adsvefaciens columbam[4], ut ex aure suâ escam peteret. Asseclae ejus abstinent à vino, circumciduntur, sunt polygami; exstruunt sacella[5], de quorum turriculis non à campanis, sed à sacerdote[6] ad sacra convocantur; saepius se abluunt[7]; negant Sacrosanctam Trinitatem; Christum honorant non ut Dei filium, sed ut magnum prophetam, minorem tamen Mahomete. Suam legem vocant Alcoranum.

Islám

Na radu žida[2] a ariánského mnicha Sergia[3] Mohamed[1], bojovný muž, si vymyslil nové náboženství, složené (smíchané) ze Starého zákona, křesťanství a pohanství. Říkal, když míval padoucnici, že s ním mluvívá archanděl Gabriel a Duch svatý, a zvykal holubici[4], aby z jeho ucha brala pokrm. Jeho následníci se zdržují vína, obřezávají se, mají mnoho žen, stavějí svatyně[5], z jejichž věží nikoli na zvony, ale od kněží[6] k božím službám se svolávají. Často se umývají[7], nevěří v Nejsvětější Trojici, Krista uctívají, avšak ne jako Božího Syna, ale jako velikého proroka, menšího než Mohamed. Svému zákonu říkají Alkorán.

Muslimischer Glaube (Islam)

Auf den Rat eines Juden[2] und des aramäischen Mönchs Sergius[3] erdachte sich Mohammed[1], ein kämpferischer Mann, eine neue Religion, zusammengesetzt (zusammengemischt) aus dem Alten Testament, Christentum und Heidentum. Er sagte, wenn er Epilepsieanfälle hatte, haben mit ihm der Erzengel Gabriel und der Heilige Geist gesprochen und er brachte es der Taube[4] bei, Speise aus seinem Ohr zu holen. Seine Nachfolger enthalten sich des Weines, werden beschnitten, haben viele Frauen, bauen Tempel[5], von deren Türmen nicht Glocken, sondern Priester[6] zum Gottesdienst rufen. Sie waschen sich[7] oft, glauben nicht an die Heilige Dreifaltigkeit, verehren Christus, aber nicht als Gottessohn, sondern als einen großen Propheten, kleineren als Mohammed. Ihr Testament nennen sie Alkoran (der Koran).

Mohammedan faith (Islam)

Магометанство (Ислам)

On a Jew's and Sergius', an Arian monk's, advice, Muhammad, an aggressive man, invented a new religion consisting of (a mixture of) The Old Testament, Christianity and Paganism. He used to say, while suffering from epilepsy, that Gabriel, the archangel, and The Holy Spirit sometimes spoke to him, and he made a dove get used to taking food from his ear. His followers shun wine, circumcise themselves, have many wives, build sanctuaries from the towers of which they do not summon believers using the peals of bells, but it is the priests that call them to attend the Divine Services. They wash very often, do not believe in The Holy Trinity, worship Christ, though not as the Son of God, but as a great prophet, lesser than Muhammad. Their testament's name is Alcoran.

Пользуясь советом одного иудея[2] и арианского монаха по имени Сергия[3], Магомет[1], воинственный человек, создал новую религию, смешанную из Ветхого завета, христианства и язычества. Он говорил, что во время припадков эпилепсии с ним говорит архангел Гавриил и Святой Дух, а он приучил голубя[4], чтобы тот из его уха доставал корм. Его последователи воздерживаются от вина, обрезываются, имеют много жен, строят мечети[5], с башенок которых не посредством колоколов, а самими священниками[6] созываются к богослужению. Они совершают частые омовения[7], отрицают Всесвятую Троицу, Христа почитают не как Сына Божьего, а как великого пророка, хотя и меньшего, чем Магомет. Свой закон они называют Алькораном.

78

Clausula Ita vidisti summatim res omnes, quae possunt ostendi, et didicisti primarias voces Latinae (Germanicae) lingvae. Perge nunc et lege diligenter alios bonos libros, ut fias doctus, sapiens et pius. Memento horum: Deum time et invoca eum, ut largiatur tibi spiritum sapientiae. Vale!

Závěr

Tak jsi viděl vcelku mnohé věci, které lze ukázat, a naučil ses nejdůležitějším slovům řeči latinské (české, německé, anglické a ruské). Pokračuj nyní a pilně čti jiné dobré knihy, abys byl vzdělaný, moudrý a zbožný. Pamatuj si to. Boha se boj a vzývej ho, aby ti dal ducha moudrosti. Bud zdráv!

Schluss

So hast du im Ganzen viele Dinge gesehen, die gezeigt werden können, und hast die wichtigsten Wörter der lateinischen (tschechischen, deutschen, russischen und englischen Sprache) gelernt. Fahr nun fort und lies fleißig andere gute Bücher, damit du gebildet, klug und fromm bist. Denk daran. Fürchte Gott und flehe ihn an, damit er dir den Geist der Weisheit verleiht. Leb wohl!

The close

Заключение

You have seen in short all the things that can be shown, and have learned the most important words of the Latin (Czech, German, English and Russian) language. Now, continue and read other good books diligently so that you may become well-educated, wise and godly. Remember these things, fear God, and call on Him to bestow upon you the spirit of wisdom. Fare well!

Итак, ты увидел многие вещи, которые можно было показать, и изучил важнейшие слова латинского (чешского, немецкого, английского и русского) языков. Теперь продолжай и читай усердно другие хорошие книги, чтобы стать ученым, мудрым и благочестивым. Помни одно: бойся бога и призывай его, да подаст тебе дух мудрости. Прощай!

ORBIS SENSUALIUM **PICTUS**

Johannes Amos Comenius / Jan Amos Komenský

Výbor sestavila, edičně a textově zpracovala doc. PhDr. Naděžda Kvítková, CSc.
Přeložili prof. PhDr. Věra Höppnerová, DrSc. / doc. PhDr. Sergej Tryml, CSc. / PhDr. Mark Anfilov / PhDr. Marie Horvátová

První vydání v nakladatelství Trizonia recenzovali prof. PhDr. Jiří Daňhelka a prof. PhDr. Josef Polišenský, DrSc.
Třetí upravené a rozšířené vydání – v nakladatelství Machart vydání druhé – recenzovala doc. PhDr. Eva Hájková, CSc.

Překlady lektorovali PhDr. Horst Görsch / PhDr. Vladimír Vařecha, CSc. / doc. PhDr. Milan Balcar, CSc.

Vydalo nakladatelství Machart / www.machart-books.cz / v dubnu 2024 jako svoji 311. publikaci.
Grafická úprava Kameel Machart / Technická příprava Ing. Lukáš Münzberger
ISBN 978-80-7656-089-5